Vengeance a

ations d'**Ivan Canu**

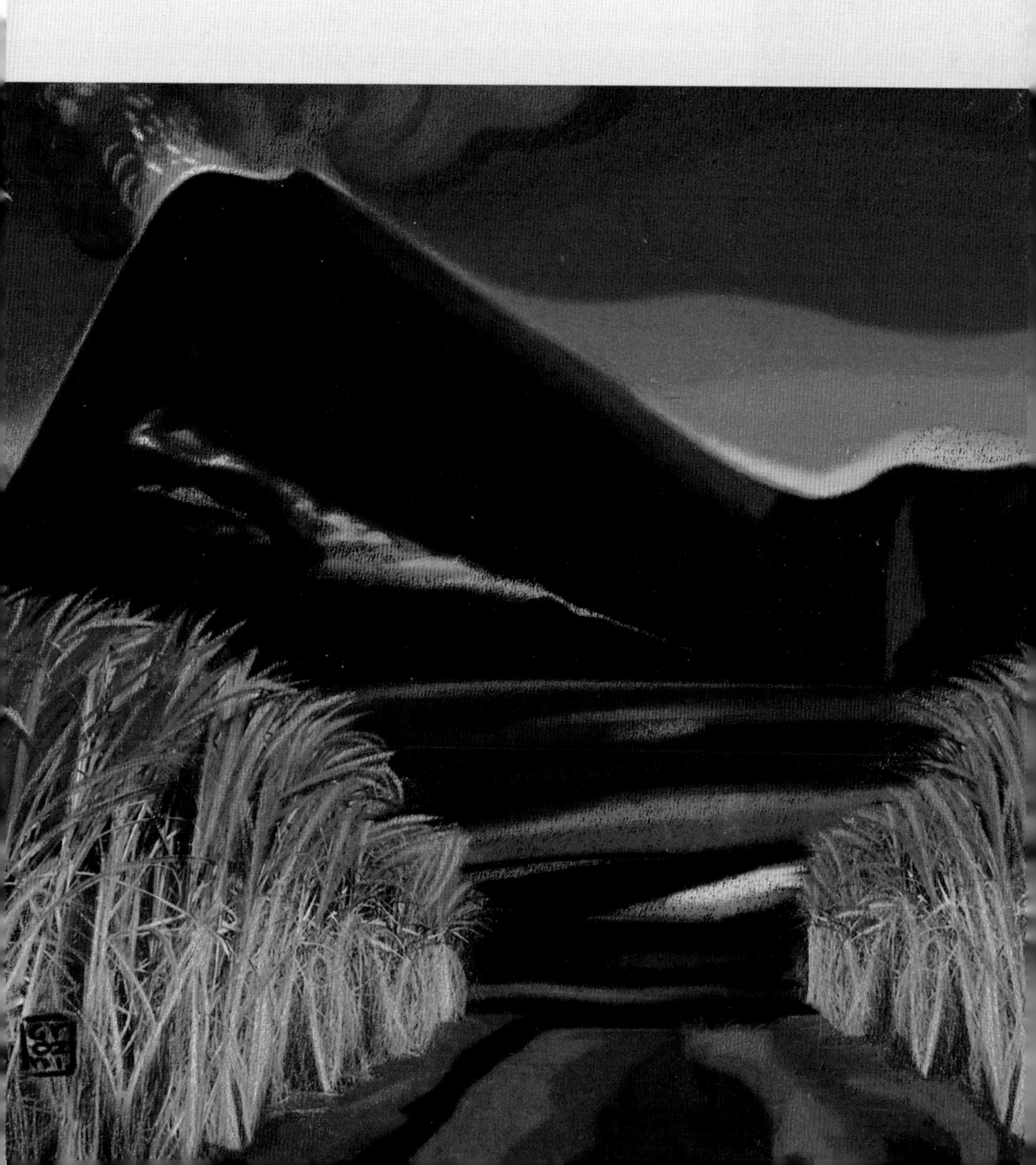

Rédaction : Maréva Bernède
Conception graphique et direction artistique : Nadia Maestri
Mise en page : Carlo Cibrario-Sent, Simona Corniola
Recherche iconographique : Alice Graziotin

Première édition : janvier 2012

Crédits photographiques : Photos.com ; IstockPhoto ; DreamsTime ; Getty Images : 4 ; © Walter Bibikow/JAI/Corbis : 5 ; Getty Images : 6 ; © Ocean/Corbis : 22; After G Bramati/Getty Images : 31 es 5 tr ; © Tibor Bognar/Corbis : 31 es 5 tr © Daniel Lainé/CORBIS : 31 es 5 bl ; Getty Images 31 es 5 br ; © Walter Bibikow/JAI/Corbis : 31 es 1 tl ; De Agostini Pictures Library : 31 es 1 bl ; LIONEL BONAVENTURE/Stringer/Getty Images : 34 ; Hulton Archive/Getty Images : 35 t ; AFP/Getty Images : 36 t ; Apic/Getty Images : 36 b; ©Peter Holmes/Marka : 48.

Vous trouverez sur le site blackcat-cideb.com (espace étudiants et enseignants) les liens et adresses Internet utiles pour compléter les dossiers et les projets abordés dans le livre.

Pour toute suggestion ou information, la rédaction peut être contactée à l'adresse suivante :
info@blackcat-cideb.com

The Publisher is certified by

in compliance with the UNI EN ISO 9001:2008 standards for the activities of «Design and production of educational materials» (certificate no. 02.565)

ISBN 978-88-530-1131-2 livre + CD

Imprimé en Italie par Litoprint, Gênes

Sommaire

Le texte est intégralement enregistré.

 Ce symbole indique les chapitres et les activités enregistrés et le numéro de leur piste.

DELF Les exercices qui présentent cette mention préparent aux compétences requises pour l'examen.

Les canons du quartier du Barachois, ville de Saint-Denis, La Réunion.

L'île de La Réunion

L'île de La Réunion, située au sud-est de l'océan Indien, à 9 180 km de Paris, 800 km de Madagascar et 170 km de l'île Maurice, appartient à la France depuis 1638 et c'est un **département**[1] **français** depuis 1946.

Un peu d'histoire...

Cette terre de 2 512 km^2 de surface est restée déserte jusqu'au milieu du 17e siècle. Seuls les marins venaient s'y ravitailler[2] en eau douce et en nourriture. En 1638, les Français en prennent possession et la baptisent « île Bourbon », du nom de leur famille royale. Elle deviendra ensuite « l'île de La Réunion », pendant la révolution en 1793, puis « île Bonaparte » en 1806, sera anglaise entre 1810 et 1815, avant de prendre définitivement son nom actuel en 1848.

1. **Un département** : division administrative du territoire français.
2. **Se ravitailler** : trouver de quoi manger et boire.

C'est pour cultiver le café et les épices que la **Compagnie des Indes** (société organisant le commerce entre l'Europe et les colonies) a fait venir de nombreux esclaves provenant d'Afrique sur l'île. À l'**abolition de l'esclavage**, en 1848, ils sont nombreux à rester vivre à La Réunion.

Les Réunionnais…

Environ 817 000 habitants vivent sur l'île. Leurs origines sont très diverses : africaines, malgaches, indiennes, chinoises, européennes… Cette richesse ethnique [3] a apporté, et continue d'apporter, de formidables métissages [4], notamment culturels et religieux. On retrouve cette variété dans le **créole** (deuxième langue la plus parlée après le français), qui s'est enrichi au cours des siècles des origines variées des immigrants.
Saint-Denis (140 000 habitants) et **Saint-Paul** (101 000 habitants) sont les villes les plus importantes.

Ville de Saint-Denis.

3. **Ethnique** : qui appartient au même peuple.
4. **Le métissage** : croisement, mélange de races ou de cultures.

Vue sur le piton des Neiges.

La nature…

Sauvage, luxuriante [5] et très diversifiée ! L'île est constituée de deux principaux massifs volcaniques. Au nord-ouest, le **piton des Neiges** culmine à 3 069 m d'altitude et domine les trois cirques [6] de Cilaos, Salazie et Mafate. Au sud-est, le **piton de la Fournaise** s'élève jusqu'à 2 632 mètres. Avec ses 3 à 4 fois éruptions par an, c'est l'un des volcans les plus actifs au monde. Les « pitons, cirques et remparts » de l'île font partie du patrimoine mondial de l'Unesco depuis 2010. Les montagnes, la forêt tropicale et les multitudes de plantes et de fleurs endémiques [7] côtoient les vallées occupées par des plantations

5. **Luxuriante** : qui se développe beaucoup.
6. **Un cirque** : ici, paysage en forme de cuvette, formé par l'érosion d'anciens volcans.
7. **Endémique** : qu'on ne trouve qu'à cet endroit.

La rose de porcelaine

de **cannes à sucre** et de **vanille**, des arbres fruitiers comme les **manguiers**, de fleurs magnifiques (la rose de porcelaine, l'anthurium...) et de plantes à parfum comme le **vétiver**.
Cette nature est le résultat du **climat tropical**, de l'ensoleillement et des vents alizés, des cycles de saison sèche (de mai à octobre) et de saison humide (de novembre à avril). Mais ces conditions climatiques (vent, pluie, température) varient beaucoup suivant l'endroit de l'île ou l'on se trouve !
Les 210 km de côtes sont, quant à elles, très difficiles d'accès. Et même si cela semble étrange, à La Réunion, il n'y a que 25 km de plage de sable blanc et 15 km de plage de sable noir.

Les cascades Langevin.

Compréhension écrite

DELF **1** **Lisez le dossier, puis dites si les affirmations suivantes sont vraies (V) ou fausses (F).**

		V	F
1	La Réunion est située au sud-ouest de l'océan Indien.	☐	☐
2	Les Français ont été les premiers à débarquer sur l'île en 1642.	☐	☐
3	L'île a toujours appartenu à la France.	☐	☐
4	La population est originaire de différents continents.	☐	☐
5	Les volcans de l'île sont tous éteints.	☐	☐
6	La flore de l'île est très variée.	☐	☐

DELF **2** **Répondez aux questions.**

1 Depuis quand La Réunion est-elle un département français ?
2 Quel a été le premier nom de La Réunion ?
3 Comment s'appellent les habitants de l'île de La Réunion ?
4 Quelles langues parlent-ils ?
5 Quelle distinction internationale a reçu l'île en 2010 ?
6 Quel est le nom des vents soufflant sur La Réunion ?

DELF **3** **Cochez la bonne réponse.**

1 La Réunion est un département **a** ☐ français. **b** ☐ anglais.
2 Avant l'arrivée des Français, l'île était **a** ☐ peuplée. **b** ☐ déserte.
3 Le créole est la deuxième **a** ☐ mangue **b** ☐ langue de l'île.
4 On y cultive la canne à sucre et la **a** ☐ famille. **b** ☐ vanille.
5 Le climat y est **a** ☐ continental. **b** ☐ tropical.
6 Il y a la saison sèche et la saison **a** ☐ humide. **b** ☐ terrible.

Personnages

De gauche à droite et de haut en bas : **le commissaire François Fontaine, Rose-May Tandria, le commissaire Philippe Latour, Marius Tamarin, David Mallet**

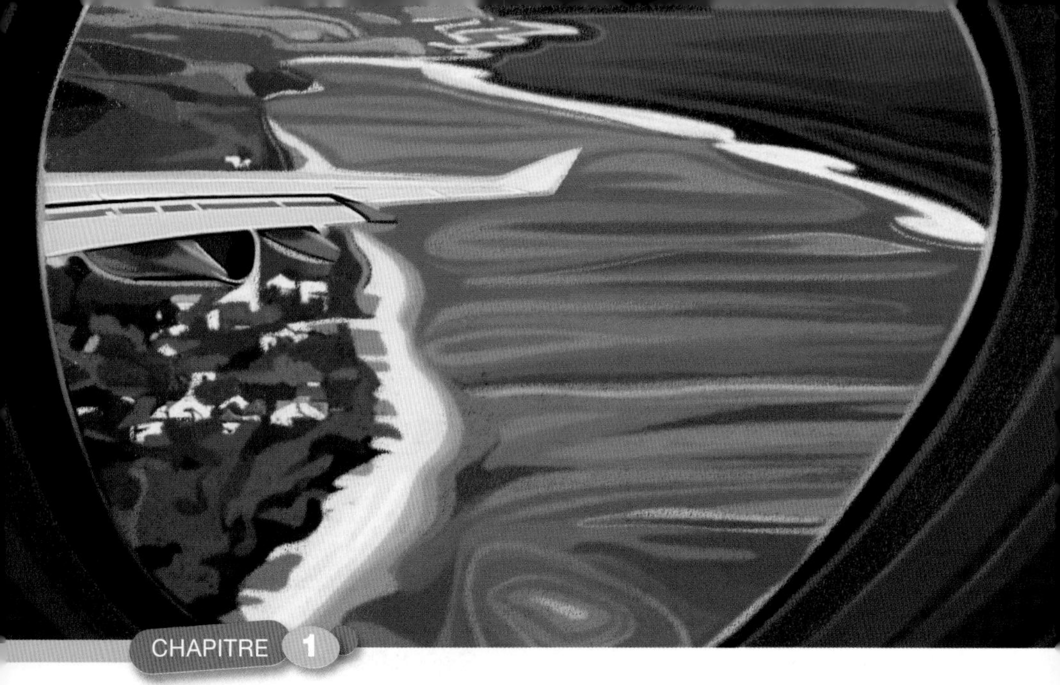

CHAPITRE 1

Philippe Latour

L'hôtesse de l'air demanda à Philippe de fermer la tablette située devant lui, de relever le dossier de son siège, d'accrocher sa ceinture et d'éteindre son lecteur MP3. Philippe n'entendit pas les paroles de la jeune femme en uniforme bleu, mais il les devina en jetant un coup d'œil à sa montre : dix heures trente, l'avion allait bientôt atterrir à Saint-Denis.

Philippe s'étira en utilisant au maximum l'espace que lui laissait la classe économique de l'Airbus A340. Il était agréablement surpris : les onze heures de vol étaient plutôt vite passées. Un dîner, un film, cinq heures de sommeil en pointillés, des dizaines de chansons, quelques boissons, cent pages du dernier polar[1] français à la mode et un petit déjeuner : tout aurait été parfait si le hasard lui avait choisi une charmante voisine

1. **Un polar** : en langage familier, histoire policière.

plutôt qu'un vieux grincheux [2] qui avait passé son temps à se plaindre (de sa place, de la nourriture, des hôtesses, des gouvernements, du réchauffement de la Terre...).

L'enquête pour laquelle le commissaire Philippe Latour faisait ce long voyage était plutôt complexe. Les maires de trois grandes villes de la métropole [3], Paris, Nantes et Bordeaux, avaient reçu des lettres anonymes provenant d'un mystérieux *Groupe de la Mémoire Oubliée*. Ses membres menaçaient d'exterminer les habitants de ces villes pour, écrivaient-ils, « se venger du passé ». La cellule [4] que Philippe dirigeait à la DCRI (Direction centrale du Renseignement intérieur) était spécialisée dans le traitement de ce genre de courriers. La plupart d'entre eux ne menaient à rien : ils venaient d'individus en détresse psychologique qui cherchaient à exister en provoquant la peur chez les autres, mais ne passaient jamais à l'acte. Cependant, dans le lot se glissaient parfois de véritables malades, ce qui obligeait Philippe à considérer chaque affaire avec sérieux.

Philippe avait immédiatement affecté deux de ses hommes à temps complet sur cette affaire et déclenché la procédure habituelle : décryptage des lettres par des experts en graphologie et en psychologie, sollicitation de ses informateurs habituels, recherches dans les fichiers de la police, filatures ciblées dans les milieux extrémistes. De son côté, il avait lu et relu les lettres durant des heures. Il savait qu'elles contenaient forcément une piste laissée par leur auteur. Cela faisait partie des règles du jeu du chat

2. **Un grincheux** : personne qui est souvent de mauvaise humeur.
3. **La métropole** : territoire d'un État considéré par rapport à ses territoires d'outre-mer.
4. **Une cellule** : ici, service de la police spécialisé dans un type d'enquêtes.

et de la souris qui opposait policiers et corbeaux [5]. Tout cela n'avait rien donné. Philippe et ses hommes avaient eu le sentiment de tourner en rond pendant trois longs mois : ils suivaient une piste, puis l'abandonnaient faute de preuves décisives, ils élaboraient une nouvelle théorie, ils s'y accrochaient, puis la laissaient tomber jusqu'à ce qu'ils découvrent de nouveaux indices qui ne les conduisaient finalement que dans des impasses.

Le commissaire avait alors décidé de classer l'affaire lorsqu'une nouvelle série de lettres le convainquit que la menace était réelle : l'expéditeur y donnait plus de détails, précisait ses menaces et indiquait qu'il passerait à l'acte quinze jours plus tard, le samedi 10 mai. Les pièces du puzzle se mirent enfin en place. Philippe avait déboulé [6] dans le bureau du directeur général de la police nationale, réputé pour son manque de patience. Ce dernier détestait les longs discours et ne demandait à ses troupes qu'une chose : des résultats. Il avait pourtant écouté la théorie de Philippe avec beaucoup d'attention, puis il lui avait donné son feu vert. Le soir même, Philippe s'envolait pour La Réunion, conscient qu'une dangereuse course contre la montre venait de commencer.

Le commandant de bord annonça l'imminence de l'atterrissage. Philippe aperçut la terre ferme par le hublot. Il n'éprouvait aucune phobie de l'avion, pourtant, un rictus [7] inhabituel apparût sur ses lèvres. Son appréhension était, en effet, d'un tout autre ordre... L'enquête qu'il menait lui avait réservé une drôle de surprise : son arrière-arrière-grand-mère maternelle, Clarisse Mallet, était née sur ce petit bout de terre perdu dans l'océan Indien. Elle y avait grandi et, en 1889, à l'âge de vingt ans, elle avait épousé un jeune

5. **Un corbeau** : ici, personne envoyant des lettres anonymes.
6. **Débouler** : arriver brusquement dans une pièce.
7. **Un rictus** : contraction des lèvres.

instituteur [8] de la métropole, Joseph Latour, venu passer quelques années à La Réunion. Elle était partie avec lui deux ans plus tard et ils s'étaient installés en région parisienne où ils avaient vécu heureux. Ainsi, les origines réunionnaises de Clarisse s'étaient diluées année après année pour n'être, quatre générations plus tard, qu'un héritage [9] oublié. Philippe ne s'intéressait que très peu à l'histoire de ses ancêtres. Personne d'ailleurs dans sa famille n'en parlait jamais et Philippe avait toujours considéré que le présent était bien plus important que le passé.

Pourtant, alors que les roues de l'Airbus touchaient le sol réunionnais, un sentiment étrange envahit Philippe. Des questions auxquelles il n'avait jamais réellement pensé s'imposèrent à lui. Était-il, lui aussi, un enfant de cette île ? Pouvait-il passer sa vie à ignorer ses racines ? Avait-il encore de la famille ici ? Il secoua la tête comme pour chasser ces pensées, mais il se promit une chose : avant ses quarante ans, il essaierait d'y réfléchir et, peut-être, de trouver des réponses.

Philippe attendit une quinzaine de minutes devant le tapis roulant avant de récupérer ses bagages. Il se dirigea ensuite vers le hall des arrivées. À peine avait-il franchi la porte automatique en verre qu'un orchestre se mit à jouer et qu'une dizaine de jeunes enfants agitèrent de petits drapeaux de couleur. Une femme, micro à la main, et un homme, caméra à l'épaule, se jetèrent sur lui :

— Maïda Lambard de Réunion 1ère. Quelles sont les chances de succès de votre mission ?

Philippe maudissait déjà celui qui avait vendu la mèche [10] à la

8. **Un instituteur** : professeur dans les classes maternelles ou primaires.
9. **Un héritage** : biens matériels ou non que l'on reçoit de sa famille.
10. **Vendre la mèche** : donner une information qui devait rester secrète.

presse. Mais il n'eut pas le temps de répondre que les journalistes l'abandonnaient déjà et se ruaient [11] sur quatre hommes qui venaient à leur tour de pénétrer dans le hall. Philippe ne comprenait rien à la situation.

— Commissaire Latour ?

Philippe se retourna et serra la main que lui tendait un homme d'une cinquantaine d'années.

— Commissaire François Fontaine. Désolé, je n'ai prévu aucun accueil spécial pour vous.

— Je préfère ça. Que se passe-t-il ?

— Vous avez voyagé dans le même avion que la délégation de l'Unesco qui vient étudier le dossier de l'île.

— Ah oui ! L'inscription sur la liste du patrimoine mondial, n'est-ce pas ?

— Oui, c'est exact. Je ne savais pas que les *zoreilles* [12] s'intéressaient autant à nous.

Philippe se demanda comment réagir à cette petite pique [13] contre les métropolitains, puis préféra en rire. Il n'avait aucun intérêt à entrer en conflit [14] avec son homologue. Ce dernier ne l'écoutait d'ailleurs plus et répondait à un appel sur son téléphone portable. « J'arrive tout de suite » conclut-il avant de s'excuser auprès de Philippe.

— Je suis obligé de reporter notre première réunion, on vient de m'avertir de la découverte d'un corps dans la plaine des Lianes. Je vous dépose à l'hôtel et je file là-bas.

11. **Se ruer** : avancer rapidement vers quelqu'un.
12. **« Les zoreilles »** : nom donné aux métropolitains par les habitants de La Réunion.
13. **Une pique** : parole désagréable.
14. **Entrer en conflit** : être en désaccord avec quelqu'un.

Compréhension écrite et orale

DELF **1** **Écoutez l'enregistrement du chapitre, puis cochez la bonne réponse.**

1 Philippe Latour est
- **a** ☐ journaliste.
- **b** ☐ commissaire de police.
- **c** ☐ pilote d'avion.

2 Le *Groupe de la Mémoire Oubliée*
- **a** ☐ est un orchestre réunionnais.
- **b** ☐ a envoyé des lettres anonymes.
- **c** ☐ est le nom de la cellule dirigée par Philipe.

3 Philippe a
- **a** ☐ moins de 40 ans.
- **b** ☐ plus de 40 ans.
- **c** ☐ 40 ans.

4 Il arrive sur l'île de La Réunion pour
- **a** ☐ retrouver sa famille.
- **b** ☐ mener une enquête.
- **c** ☐ passer des vacances.

5 Les journalistes de Réunion 1ère
- **a** ☐ veulent tout savoir sur son enquête.
- **b** ☐ l'interrogent sur sa vie privée.
- **c** ☐ se sont trompés de personne.

6 Le commissaire Fontaine
- **a** ☐ rencontre Philippe pour la première fois.
- **b** ☐ est très chaleureux.
- **c** ☐ apprend la découverte d'un vol au téléphone.

2 **Lisez le chapitre, puis répondez aux questions.**

1 Philippe est-il satisfait de son voyage ? Pourquoi ?
2 Que savez-vous de l'enquête que mène Philippe ?
3 Pourquoi se sent-il étrange au moment de l'atterrissage ?
4 De combien de policiers parle-t-on dans ce chapitre ?
5 Que vient faire une délégation de l'Unesco sur l'île ?
6 Après avoir lu le premier chapitre, comment imaginez-vous le caractère de Philippe Latour ?

Grammaire

Le passé simple

Ce temps est surtout utilisé à l'écrit dans les textes littéraires. Il décrit une action, généralement brève, située dans le passé.

L'hôtesse de l'air ***demanda*** *à Philippe de fermer sa tablette.*

Il se distingue de l'imparfait, utilisé pour décrire des **actions longues**, des personnages, des paysages...

On utilise aussi le passé simple pour exprimer une **action soudaine** qui survient alors que se déroule une autre action à l'imparfait.

Alors que les roues de l'Airbus touchaient le sol réunionnais, un sentiment étrange ***envahit*** *Philippe.*

Il suffit d'ajouter les terminaisons **-ai**, **-as**, **-a**, **-âmes**, **-âtes**, **-èrent** au radical des verbes du premier groupe et **-is**, **-is**, **-it**, **-îmes**, **-îtes**, **-irent** à ceux du deuxième groupe.

*demander → je demand-***ai**   *finir → je fin-***is**

Le passé simple du verbe **être** est : *je fus, tu fus, il fut, nous fûmes, vous fûtes, ils furent.*

Le passé simple du verbe **avoir** est : *j'eus, tu eus, il eut, nous eûmes, vous eûtes, ils eurent.*

3 **Conjuguez les verbes entre parenthèses au passé simple.**

1 Il dormait quand l'avion (*atterir*) ....
2 Soudain, des pensées lui (*passer*) .... par la tête. Il les (*écouter*) ...., puis les (*chasser*) ....
3 Personne n' (*avoir*) .... le mal des transports.
4 L'avion (*être*) .... à l'heure.
5 Nous (*demander*) .... à la mauvaise personne.
6 Vous (*être*) .... étonnés de l'accueil sur l'île ?

4 **Lorsque cela est nécessaire, changez le temps des verbes (passé simple/imparfait) pour rendre les phrases correctes.**

1 Philippe marcha vers la sortie quand Fontaine l'appelait.
2 Il enquêta depuis un mois quand de nouvelles lettres arrivaient.
3 Une sonnerie interrompait leur conversation. Ce fût son téléphone.
4 Il nommait deux de ses hommes pour continuer l'enquête.
5 Il pensait soudain à ses ancêtres : qui furent-ils ?
6 Je lui demandais d'attacher sa ceinture, mais il refusa.

Enrichissez votre **vocabulaire**

5 **Complétez les phrases à l'aide des mots proposés.**

1	le témoin	la victime	le suspect
2	les fausses pistes	les preuves	les indices
3	l'arme du crime	l'alibi	la rançon
4	complice	coupable	innocent
5	alibi	mobile	coupable
6	Le mobile	L'assassin	L'enquête

1 Il était 8 h 30 quand on découvrit .... dans son bureau.

2 Les policiers relevèrent .... dans toute la pièce.

3 Un couteau, trouvé sur place, était sans nul doute ....

4 Le tueur avait agi seul, sans ....

5 La police l'arrêta facilement, il n'avait aucun .... valable.

6 .... était facile à trouver : c'était l'argent.

6 **Écrivez des phrases avec les mots non utilisés de l'exercice précédent.**

7 **Les expressions suivantes sont utilisées dans le chapitre 1. Associez-les à la phrase correspondante.**

a (dormir) en pointillés **c** tourner en rond **e** donner son feu vert

b vendre la mèche **d** chasser une pensée **f** passer à l'acte

1 ☐ Il a souvent répété qu'il le ferait et puis, un jour, il l'a fait.

2 ☐ J'ai le sentiment d'avoir passé la nuit à me réveiller toutes les heures.

3 ☐ Il a donné son accord pour le départ de Philippe.

4 ☐ Philippe ne veut pas y réfléchir pour l'instant.

5 ☐ Sa mission devait être secrète, mais la presse a tout dévoilé.

6 ☐ Il cherche, ne trouve rien et recommence toujours depuis le début.

Production écrite et orale

DELF **8** **Racontez l'un de vos voyages en avion, en train ou en voiture : décrivez ce que vous avez fait, les personnes qui voyageaient avec vous, une ou plusieurs anecdotes, ce que vous avez aimé, ce que vous avez détesté...**

Une plage en Martinique.

La France d'outre-mer

La France d'outre-mer représente les territoires français qui ne se trouvent pas en Europe, contrairement à la **France métropolitaine**. Elle est composée de 14 espaces différents répartis dans le monde, couvrant 111 000 km² de surface et sur lesquels habitent 2,5 millions de Français. La France possède, grâce à l'outre-mer, la deuxième **plus grande surface maritime mondiale** (11 millions de km²), derrière les États-Unis. Dans le gouvernement français, un ministre est spécialement chargé de l'outre-mer.

Dans l'océan Atlantique…

À **Saint-Pierre-et-Miquelon**, située en face du Canada, il fait 5°C en moyenne sur un an. Pour trouver le soleil, il faut mieux descendre au sud, vers les Caraïbes, sur les îles de **Saint-Martin** ou de

Saint-Barthélemy, de **la Martinique** ou de la **Guadeloupe** ou de **l'archipel des « Petites Antilles »**.
Sur le continent sud-américain, entre le Surinam et le Brésil, la **Guyane** accueille la base de lancement des fusées *Ariane*.
Moins connus, les **Domaines français de Sainte-Hélène**, regroupent sur 14 hectares de l'île de Sainte-Hélène (île britannique), les lieux d'exil de Napoléon (notamment le premier tombeau de l'empereur).

Dans l'océan Pacifique…

En 2014, les habitants de la **Nouvelle-Calédonie** (l'île la plus proche de l'Australie) voteront pour choisir, ou non, leur indépendance. **Wallis-et-Futuna** regroupent 3 îles dont la première (Wallis) porte le nom du premier marin qui les découvrit en 1767, le Capitaine Samuel Wallis. La **Polynésie française** comprend 118 îles (dont **Tahiti** et **Bora Bora**), dispersées sur une surface grande comme l'Europe, à mi-chemin entre l'Australie et le Pérou. L'île de **Clipperton**, au large du Mexique, est un atoll [1] non habité de 6 km² (dont 2 km² de terres émergées) sur lequel est installée une station météorologique automatique.

L'île des Pins, Nouvelle-Calédonie.

1. **Un atoll** : île en forme d'anneau.

Terre Adélie.

Dans l'océan Indien… et Antarctique…

Mayotte est une île située entre le nord de Madagascar et le Mozambique, sur laquelle vivent plus de 430 habitants au km² contre 110 en France métropolitaine !

Les **Terres australes et antarctiques françaises** (**Taaf**) regroupent un immense territoire maritime de 2,4 millions de km², constitué d'îles et d'archipels de l'océan Indien (dont l'île Tromelin et les îles Kerguelen) et de la **Terre Adélie**, territoire étroit de l'Antarctique abritant notamment la base polaire de Dumont d'Urville. Il n'y a aucun habitant permanent sur ces terres, mais des scientifiques, des météorologues ou bien encore des militaires.

Quant à l'île de **La Réunion**… vous allez la découvrir.

Compréhension écrite

1 Lisez le dossier, puis placez les territoires français sur la carte.

1 la Guyane **2** La Réunion **3** Mayotte **4** la Polynésie française **5** Saint-Pierre-et-Miquelon **6** Saint-Barthélemy / la Guadeloupe / la Martinique / Saint-Martin **7** la Nouvelle-Calédonie **8** Terre Adélie **9** Clipperton

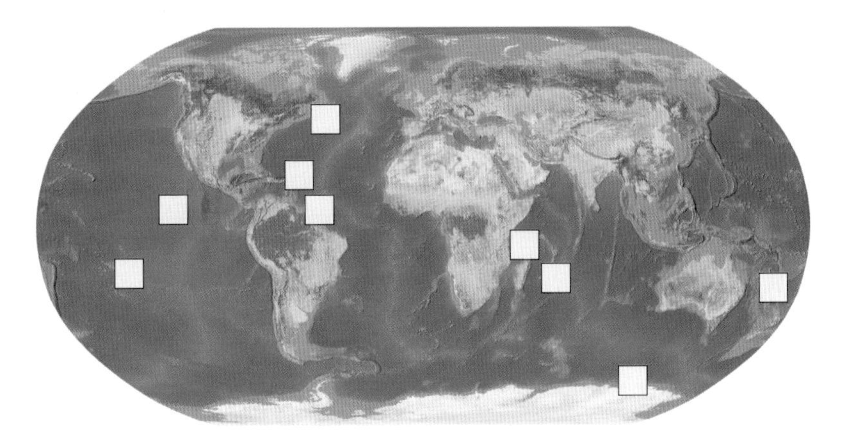

2 Écrivez le nom du territoire correspondant à chaque indice.

1 Fusée Ariane. ....
2 Un territoire français en moins ? ....
3 Il est mort là-bas, mais son tombeau est aujourd'hui aux Invalides, à Paris. ....
4 « Météorologue détestant le froid et le monde cherche emploi. » ....
5 « Chercheur craignant les coups de soleil cherche travail. » ....
6 À gauche Brisbane, à droite Lima. ....
7 Une densité de population très élevée ! ....
8 Cuba, la Jamaïque, Haïti, Porto Rico et Saint-Domingue sont les « Grandes ». ....

CHAPITRE 2

Siméon

Le commissaire François Fontaine roulait à vive allure sur la route nationale 2. Philippe était assis à côté de lui. Il avait demandé à son collègue de pouvoir l'accompagner tout en sachant que lui-même détestait qu'un autre policier se mêle de ses affaires. Mais s'il voulait pénétrer rapidement au cœur de l'île pour avancer dans sa propre enquête, c'était le meilleur moyen. François Fontaine bifurqua [1] à l'entrée de la ville de Bras-Panon et emprunta une route étroite sur quelques kilomètres avant de s'engager sur une piste de terre. Dix minutes plus tard, il gara sa voiture derrière un véhicule de la gendarmerie et descendit rejoindre un petit groupe qui se tenait quelques mètres plus bas. Philippe sortit à son tour, mais préféra rester à l'écart [2] pour ménager les susceptibilités éventuelles.

1. **Bifurquer** : changer de direction.
2. **Rester à l'écart** : ne pas se joindre à un groupe.

Il retrouva le commissaire Fontaine un quart d'heure plus tard.

— Un braconnier [3] qui glisse et s'empale sur sa machette : un accident tragique, une mort idiote et aucune raison d'ouvrir une enquête, annonça-t-il d'un ton froid et sans donner plus de détails.

Les deux hommes remontèrent en voiture et roulèrent dix minutes avant de s'arrêter devant la maison de la famille de la victime. Fontaine déclara en avoir pour cinq minutes tout au plus. Annoncer à une famille la mort d'un des siens était ce que Philippe détestait le plus dans son métier. Il aperçut deux enfants qui jouaient sur le bord de la route à une centaine de mètres de la voiture et décida d'aller bavarder avec eux. Cela lui dégourdirait les jambes et les enfants savaient toujours plein de choses. Il arrivait près d'eux lorsque le bruit d'un moteur lui fit tourner la tête. Le véhicule, une vieille jeep, avançait lentement. Quand il passa à sa hauteur, Philippe remarqua l'air soucieux [4] de sa conductrice. Il suivit du regard la voiture qui ralentit encore et semblait sur le point de s'arrêter. Pourtant, quand elle passa devant la maison où François Fontaine était entré quelques minutes plus tôt, elle reprit de la vitesse et disparut. « Coïncidence [5] ? », se demanda Philippe avant de chasser l'idée de sa tête : pourquoi un policier cherchait-il toujours une explication à tout ? Philippe échangea quelques blagues avec les enfants avant que le commissaire Fontaine ne l'appelle depuis sa voiture : il était prêt à repartir.

Une heure et demie plus tard, les deux policiers étaient

3. **Un braconnier** : personne qui chasse sans autorisation.
4. **Soucieux** : qui est inquiet.
5. **Une coïncidence** : évènements qui arrivent ensemble par hasard.

installés face à face dans le bureau du commissaire Fontaine. Ce dernier restait perplexe face aux explications que lui avait fournies Philippe à propos de sa présence sur l'île et à sa théorie sur son enquête :

— Les esclaves oubliés de l'île Tromelin, ça vous dit quelque chose quand même ! insista Philippe. En 1761, un bateau français s'échoue sur la minuscule île Tromelin, à six cents kilomètres au nord de La Réunion. À son bord : cent vingt hommes d'équipage [6] et cent soixante esclaves malgaches. Deux mois plus tard, l'équipage quitte l'île sur une embarcation de fortune en promettant aux esclaves de revenir les chercher rapidement. Ils ne tiennent pas leur parole et lorsque quinze ans plus tard, un bateau porte secours aux malheureux, il ne reste plus que sept femmes et un bébé vivants.

— Je connais l'histoire, dit le commissaire légèrement agacé. Mais je ne vois pas le rapport avec les lettres de menace.

— Moi, au contraire, j'en vois plusieurs, dit Philippe. Le 10 mai est la journée commémorative de l'abolition de l'esclavage. Nantes et Bordeaux ont été d'importants ports négriers [7] au XVIIIe siècle. Et les dernières lettres reçues se terminent par cette phrase : « Vous nous avez oubliés, nous ne vous oublierons pas ».

— Ce sont des suppositions, pas des preuves. Qui peut être assez fou pour crier vengeance après tout ce temps ?

— Et pourquoi pas un descendant des survivants de Tromelin ?

Fontaine balaya la question d'un geste de la main, avant de lever les yeux au plafond. En déposant Philippe à son hôtel une

6. **Un équipage** : ensemble des personnes manœuvrant un bateau.
7. **Un port négrier** : port d'où partaient les bateaux d'esclaves.

heure plus tard, Fontaine lui souhaita bonne chance. Au ton de sa voix, Philippe comprit que le policier réunionnais ne lui serait d'aucune aide.

Une fois dans sa chambre, Philippe sentit la fatigue l'envahir. Il prit une douche et s'allongea sur le lit. Il lutta quelques minutes contre le sommeil, puis se laissa aller. Il dormit plusieurs heures et se réveilla la faim au ventre. Il consulta un plan de la ville trouvé à la réception, puis quitta l'hôtel en direction de la rue de Paris. Cinq minutes lui suffirent pour tomber sous le charme du lieu. Il ne savait plus où donner de la tête, avide de ne rien rater des cases [8] créoles au style colonial, des conversations animées entre Dionysiens [9], des senteurs d'épices et de vanille et des jardins luxuriants. Il s'engagea dans une rue piétonne aux nombreuses boutiques puis, arrivé à son extrémité, il pénétra dans un marché. De nombreux étalages [10] proposaient des souvenirs aux touristes : broderies, sculptures, paniers, le choix était varié. Une bonne odeur de cuisine tortura ses narines. Il entra dans le premier restaurant qu'il trouva.

Il remarqua tout de suite la conductrice de la jeep. Elle dînait seule, la tête penchée sur son assiette. Philippe s'installa à la table d'à côté. Après avoir commandé un cari de poisson, il aborda la jeune femme en lui demandant la salière. Elle leva les yeux vers lui et le reconnut aussitôt.

— Que voulez-vous ? Vous m'avez suivie ?

— Calmez-vous ! Je suis ici par le plus grand des hasards. Ça n'a pas l'air d'aller...

8. **Une case** : habitation traditionnelle des pays tropicaux.
9. **Un Dionysien** : habitant de la ville de Saint-Denis à La Réunion.
10. **Un étalage** : lieu où sont exposés les produits à acheter.

— Vous vous intéressez toujours aux problèmes des autres ?

La jeune femme rassembla ses affaires et se leva pour partir. Philippe la retint par le bras.

— Je sais que je me mêle [11] de ce qui ne me regarde pas, mais je peux peut-être vous aider.

Elle s'assit de nouveau et se mit à pleurer. Le patron du restaurant s'approcha et lui demanda si tout allait bien. Elle lui fit signe que oui.

— Vous connaissiez l'homme qui est mort ce matin, c'est ça ?

Elle hésita, mais Philippe avait un don [12] pour mettre les gens en confiance.

— J'ai rencontré Siméon il y a deux mois. Je... nous... ce n'est pas facile à expliquer.

Philippe laissa passer quelques minutes, puis, ne trouvant rien de mieux à dire, il ajouta : « Un accident est si vite arrivé ».

La jeune femme le regarda dans les yeux. Philippe eut l'impression qu'elle essayait de savoir si elle pouvait vraiment lui faire confiance.

— Il a été assassiné, j'en suis sûre. Siméon avait peur depuis quelques jours. Il m'avait demandé de passer le voir ce matin, il voulait me dire quelque chose d'important. Au téléphone, il m'avait dit « C'est une question de vie ou de mort ».

— Il faut prévenir la police.

— C'est impossible, dit-elle avant de fondre de nouveau en larmes.

11. **Se mêler de quelque chose** : s'occuper sans autorisation de quelque chose.
12. **Un don** : une qualité.

Compréhension écrite et orale

DELF **1 Lisez le chapitre, puis répondez aux questions.**

1 Comment s'appelle la personne qui est morte ?
2 Comment est-elle morte ?
3 Qui va mener l'enquête sur son décès ?
4 Philippe apprécie-t-il le charme de Saint-Denis ?
5 Comment choisit-il le restaurant où il veut dîner ?
6 Quel est le nom de la conductrice de la vieille jeep ?
7 Connaissait-elle la victime ?
8 Dans quel état d'esprit se trouve-t-elle ?

2 Lisez les morceaux de phrases tirées du chapitre 2 et replacez-les dans leur contexte.

1 « ... impossible, dit-elle avant de fondre de nouveau... ».
2 « ... les deux policiers étaient installés face à face dans le bureau... ».
3 « ... consulta un plan de la ville trouvé... ».
4 « ... véhicule, une vieille jeep, avançait... ».
5 « ... déposant Philippe à son hôtel ... ».
6 « ..., mais préféra rester à l'écart ... ».

3 Classez les extraits de phrases de l'exercice 2 par ordre chronologique.

4 Écoutez l'enregistrement du chapitre, puis dites si les affirmations suivantes sont vraies (V) ou fausses (F).

		V	F
1	La famille de Siméon habite en ville.	☐	☐
2	Les enfants n'adressent pas la parole à Philippe.	☐	☐
3	La jeep est conduite par un homme.	☐	☐
4	Philippe aime le poisson.	☐	☐

5 Quel passage du chapitre les photos évoquent-elles ?

Enrichissez votre **vocabulaire**

6 Associez chaque mot à l'image correspondante.

a une machette **b** une case créole **c** un étalage **d** une rue piétonne

7 Les expressions soulignées sont utilisées dans le chapitre 2. Cochez la bonne réponse.

1 La voiture roulait à vive allure sur la petite route de montagne.
- a ☐ La vitesse de la voiture était importante
- b ☐ Le chauffeur conduisait lentement.
- c ☐ Le chauffeur ne respectait pas la signalisation.

2 Philippe aurait-il tendance à se mêler des affaires des autres ?
- a ☐ Il aide les gens à ranger leurs affaires.
- b ☐ Il s'occupe de ce qui ne le regarde pas.
- c ☐ Il est indifférent à ce qui arrive à ses amis.

3 Un négociateur cherche à ménager les susceptibilités de chacun.
- a ☐ Il se fiche des opinions de chacun.
- b ☐ Il cherche à ne vexer personne.
- c ☐ Il refuse de parler avec ceux qui ne pensent pas comme lui.

4 La question ne lui plaisait pas : il la balaya d'un geste de la main.
- a ☐ Dire bonjour en serrant la main et en posant une question.
- b ☐ Se réconcilier avec un ennemi.
- c ☐ Faire comprendre d'un geste qu'on ne veut pas répondre.

8 Lisez la description de l'île Tromelin et complétez-la avec les mots proposés.

1	grandeur	superficie	taille
2	large	profondeur	hauteur
3	neige	eau	sable
4	faune	flore	population
5	faune	flore	population
6	lions	tortues	rhinocéros
7	météo	temps	climat
8	dansent	chantent	soufflent
9	hantée	supposée	surnommée

L'île Tromelin est située à 540 kilomètres au nord de La Réunion. Sa (1) .... est de 1 km² (elle mesure environ 1 600 m de long et 700 m de (2) ....). Elle est recouverte de (3) .... La (4) .... se compose principalement d'herbes grasses et de quelques groupes d'arbustes. La (5) .... est constituée d'oiseaux de mer et de (6) ....
Le (7) .... est de type tropical maritime. Les températures sont comprises entre 23°C et 28°C. Les alizés y (8) .... une grande partie de l'année. Cette île est également soumise à de fortes dépressions et à des cyclones (elle est d'ailleurs parfois (9) .... « l'île aux cyclones »).

Production écrite et orale

9 **Écrivez un résumé de l'histoire des « esclaves oubliés de Tromelin » à partir des indications données dans le chapitre, de recherches effectuées sur Internet et des questions suivantes.**

1 Comment s'appelait le bateau qui transportait les esclaves ?
2 D'où les esclaves étaient-ils originaires ?
3 À quelle date ont-ils fait naufrage ? Sur quelle île ?
4 Que s'est-il passé après le naufrage ?
5 Pourquoi les esclaves sont-ils restés seuls sur l'île ?
6 Quand ont-ils été secourus ? Par qui ?
7 Combien d'esclaves ont survécu ?
8 Cette histoire intéresse-t-elle encore de nos jours ?

10 **Le commissaire Fontaine annonce la mort de Siméon à sa famille. Imaginez ce que vous diriez à sa place.**

Cérémonie de commémoration de l'abolition de l'esclavage, 10 mai 2009, Paris.

L'esclavage

À partir du 17e siècle, la France, comme le Portugal, la Hollande ou l'Angleterre, possède de nombreuses **colonies** et elle a besoin d'une main d'œuvre nombreuse pour exploiter leurs richesses. **La traite des noirs** va alors s'organiser dans un commerce appelé « trafic triangulaire ».

D'Europe en Amérique, en passant par l'Afrique

Les bateaux français, dits « négriers », quittaient les ports (Le Havre, La Rochelle, Bordeaux, Saint-Malo, Nantes...) remplis de marchandises. Ils arrivaient sur les côtes africaines et échangeaient leurs biens contre des **esclaves**. L'île de Gorée au Sénégal servait ainsi « d'entrepôt d'esclaves ». Les navires traversaient ensuite l'Atlantique pour rejoindre les colonies avant de revenir en Europe, remplis de produits tropicaux.

Quelques chiffres

Il y a eu plus de 3 000 expéditions de bateaux négriers à partir de plus d'une quinzaine de ports français. Le nombre d'esclaves sur l'île de La Réunion est ainsi passé de quelques centaines au début du XVIe siècle à près de 50 000, 100 ans plus tard. À cette époque, les colons étaient deux fois moins nombreux que les esclaves sur l'île. Entre 1676 et 1800, près d'un million d'esclaves auraient été conduits jusqu'aux Antilles.

Bateau négrier en 1835.

CODE NOIR.
OU
RECUEIL D'EDITS,
DÉCLARATIONS ET ARRETS
CONCERNANT
Les Esclaves Négres de l'Amérique,
AVEC
Un Recueil de Réglemens, concernant la police des Isles Françoises de l'Amérique & les Engagés.

A PARIS,
Chez les LIBRAIRES ASSOCIEZ.

Le Code noir

La vie des esclaves dans les colonies françaises des Antilles, de Guyane et sur l'île de La Réunion, était réglementée par le **Code noir**. Rédigé sous Louis XIV, en 1685, il définissait en 60 articles les rapports entre les « maîtres » et les « esclaves ». L'article 44, par exemple, déclarait que les esclaves étaient des « meubles » que se partageaient les héritiers.

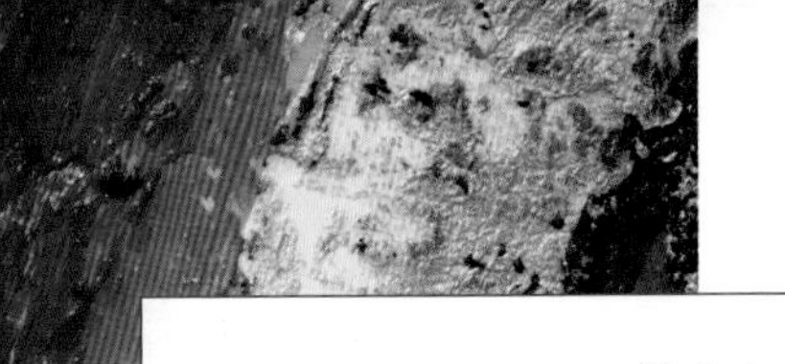

Christiane Taubira.

L'abolition

En 1789, dans son premier article, la *Déclaration des droits de l'Homme et du Citoyen* revendiquait l'égalité entre les hommes : « Les hommes naissent et demeurent libres et égaux en droit ». Mais, dans les faits, il a fallu attendre un décret de 1794 pour voir l'esclavage aboli. Cependant, ce décret fut annulé par Napoléon Bonaparte en 1802 ! C'et finalement sous l'impulsion de **Victor Schœlcher**, un homme politique, que l'esclavage est définitivement aboli dans toutes les colonies française, le **27 avril 1848**.

La loi du 10 mai 2001 (dite ***loi Taubira***) reconnaît dans son premier article que « la traite négrière » et « l'esclavage » dans les colonies française ont constitué un **crime contre l'humanité**. Pour ne pas oublier la cruauté de ces terribles pratiques, cette loi impose également qu'elles fassent parties des programmes scolaires. Chaque année, le 10 mai, est commémorée l'abolition de l'esclavage. Même si tous les pays du monde l'ont officiellement aboli, l'esclavage est aujourd'hui encore présent dans le travail des enfants, le travail forcé ou la prostitution.

Victor Schœlcher (1804-1893).

Compréhension écrite

1 Lisez le dossier et répondez aux questions.

1 Qu'appelait-on « ports négriers » ?
2 Que signifie l'expression « trafic triangulaire » ?
3 La France a-t-elle aboli l'esclavage avant ou après le Code noir ?
4 Qu'a déclaré la France en 2001 ?

2 Après avoir lu le dossier, que pouvez dire à propos des personnages suivants ?

1 Louis XIV ....

....

2 Napoléon Bonaparte ....

....

3 Christiane Taubira ....

....

4 Victor Schœlcher ....

....

4 **3 Écoutez les enregistrements, puis indiquez de quel texte ils sont extraits.**

	1	2	3	4	5	6	7	8
Loi Taubira								
Code noir								
Décret 27/04/1848								
Journée du 10 mai								

CHAPITRE 3

Rose-May

Il était neuf heures et quart du matin, le samedi 7 mai, lorsque Philippe sonna à la porte de Marius Tamarin. Facteur [1] à la retraite, cet homme âgé de soixante-treize ans était devenu le spécialiste de la généalogie [2] des Réunionnais. Il reçut Philippe dans la varangue [3] de sa case située à quelques kilomètres de Saint-Denis, sur la route de la Montagne. La vue sur l'océan Indien était à couper le souffle.

— J'ai été bien étonné du mail que vous m'avez envoyé il y a quelques semaines, commença le vieil homme. Je vous ai tout expliqué dans ma réponse et je n'ai rien de nouveau à vous apprendre. Vous n'avez pas fait ce long voyage juste pour me voir, j'espère ?

1. **Un facteur** : personne qui distribue le courrier.
2. **La généalogie de quelqu'un** : liste des ancêtres d'une personne.
3. **Une varangue** : pièce ouverte et protégée par un toit dans les maisons créoles.

CHAPITRE 3

— Quelque chose me dit que je dois absolument m'intéresser aux descendants des esclaves de Tromelin, dit Philippe

— De nombreuses personnes les ont cherchés avant vous, mais sans succès. Attendez, je vais vous montrer quelque chose.

Le vieil homme s'absenta quelques instants, puis revint avec un ordinateur portable.

— Eh oui, même les vieux bonhommes comme moi ont accès aux nouvelles technologies. Voici l'état de mes recherches sur le sujet qui vous intéresse : en rouge, ce sont les pistes qui ont mené à des impasses [4]. En vert, je suis en attente de renseignements.

— Et en jaune ?

Marius Tamarin se pencha en maudissant ses yeux qui commençaient à le trahir.

— Qu'est-ce que... Ah, oui, un jeune homme m'a promis des documents importants il y a déjà six mois de cela, mais depuis plus de nouvelles. Il avait pourtant l'air passionné. Un certain David Mallet.

Le silence de David Mallet ne signifiait pas forcément grand-chose, mais Philippe décida de ne rien laisser au hasard : il quitta le généalogiste avec tous les renseignements nécessaires pour trouver ce David Mallet. Celui-ci habitait dans le cirque de Mafate, l'un des endroits les plus isolés de l'île, accessible seulement par les airs ou les sentiers de randonnée. Philippe roula jusqu'au village de Dos d'Âne avec la moto qu'il avait louée le matin même, puis il s'enfonça à l'intérieur de l'île sur quelques kilomètres supplémentaires. Il abandonna sa moto à l'orée d'une forêt. Il se mit en marche et découvrit bientôt un paysage chaotique,

4. **Une impasse** : rue sans issue et, ici, recherche sans succès.

exceptionnellement beau et terriblement sauvage. Mais le chemin était raide et caillouteux et il fut bien content, deux heures plus tard, d'atteindre l'îlet [5] composé des quatre cases dont lui avait parlé Marius Tamarin. Philippe frappa sans succès aux portes des deux premières. Un jeune homme apparut sur le seuil [6] de la troisième et lui demanda ce qu'il cherchait. Philippe se présenta, puis insista plusieurs fois, mais le jeune homme resta catégorique : aucun David Mallet n'habitait Mafate. Le commissaire perçut de la tension chez son interlocuteur. Il essaya d'entamer une conversation pour détendre l'atmosphère, mais le jeune homme restait sur ses gardes. Philippe comprit qu'il n'obtiendrait rien de plus et il prit congé. Marius Tamarin s'était-il trompé ? Le jeune homme lui mentait-il ? Philippe détestait lorsqu'une enquête piétinait et, cette fois-ci, il s'y prenait très mal ! Il ne ressentait pourtant pas le découragement habituel face à une telle situation. Il avait le sentiment étrange que, malgré tout, il avançait, même s'il ne savait pas vraiment vers quoi. Il s'assit sur une pierre et contempla la nature. L'endroit était magique, à la fois attirant et terrifiant. Pour quelle raison pouvait-on choisir de vivre dans un endroit si isolé ? Il ne trouva pas d'explication. « Sauf peut-être celle d'être né là », se dit-il en reprenant le chemin du retour.

Philippe s'apprêtait à enfourcher [7] sa moto lorsque son portable sonna. Il fut heureux d'entendre la voix de Rose-May, la jeune femme rencontrée au restaurant. La veille, cette dernière n'avait

5. **Un îlet** : ici, village.
6. **Le seuil** : entrée d'une maison.
7. **Enfourcher** : monter sur.

pas trouvé la force de tout lui raconter, mais elle avait accepté de le revoir. Philippe lui avait laissé son numéro, se présentant comme un métropolitain venu sur l'île pour affaires. Ils se donnèrent rendez-vous dans le même restaurant, à vingt heures.

Rose-May était déjà installée lorsque Philippe arriva. Son visage trahissait son angoisse.

— Tu es sûr de vouloir entendre mon histoire ? demanda-t-elle.

Philippe fut heureux qu'elle le tutoie. Il l'encouragea d'un sourire à continuer. Rose-May était biologiste et travaillait à l'hôpital Félix Guyon de Saint-Denis. Elle dirigeait la cellule spécialisée dans la lutte contre le chikungunya. Une épidémie de cette maladie tropicale, transmise à l'homme par le moustique, avait touché La Réunion en 2006 et ce virus infectait chaque année de nouvelles personnes. L'équipe de Rose-May était sur le point de trouver un vaccin. Trois mois plus tôt, elle avait découvert l'existence d'une plante aux vertus [8] remarquables, la saliette, qui renforçait de façon significative l'efficacité du futur vaccin.

— Cette plante ne pousse qu'ici, et seulement dans certaines zones, toutes situées dans le Parc national. Sa cueillette est interdite. Siméon m'en a procuré en toute illégalité. C'est de ma faute s'il est mort !

— Ne dis pas de bêtises, on ne tue pas quelqu'un pour quelques plantes ! s'exclama le commissaire.

— Mais alors, pourquoi veulent-ils s'en prendre à moi maintenant ?

Rose-May sortit de sa poche une lettre qu'elle tendit à Philippe. Quelqu'un l'avait glissée sous la porte d'entrée de son

8. **Une vertu** : qualité de quelque chose qui produit des effets positifs.

appartement, la nuit précédente. La menace était claire : « Laisse tomber sinon tu finiras comme Siméon ». La situation était trop dangereuse et Philippe réussit à convaincre la jeune femme de prévenir la police. Il composa lui-même le numéro du commissaire François Fontaine et laissa un message sur son répondeur.

— Tu le connais personnellement ? s'étonna Rose-May.

Philippe avoua qu'il était lui aussi policier et s'excusa de ne pas le lui avoir dit plus tôt.

— Un réflexe de méfiance contre certains préjugés, se défendit-il. Rose-May lui jeta un regard de mépris, se leva et sortit du restaurant sans se retourner. Philippe la rattrapa, lui prit la main et s'excusa encore :

— Tu ne m'aurais jamais tout raconté si je t'avais...

— J'ai eu confiance en toi dès le premier instant, mais là... Oh ! Je ne sais plus !

Philippe lui serra la main encore un peu plus fort, mais Rose-May se défit violemment de sa prise. Elle ne voulait rien entendre de plus et elle lui cria de la laisser tranquille. Elle lui tourna le dos et reprit son chemin en accélérant le pas avant de disparaître à l'angle de la rue. Quelques secondes plus tard, Philippe l'entendit appeler au secours. Il se précipita et aperçut la jeune femme à terre, deux hommes penchés sur elle. Il se jeta sur le premier et le fit tomber d'un mouvement rapide. Le deuxième fut plus agile, esquiva [9] les coups de Philippe et le frappa au ventre. Le temps que ce dernier se relève, les deux complices s'étaient enfuis dans la nuit.

Philippe raccompagna Rose-May chez elle et lui proposa de rester dormir sur le canapé du salon. Elle accepta avec soulagement la protection du policier.

9. **Esquiver** : éviter.

Compréhension écrite et orale

DELF **1 Écoutez l'enregistrement du chapitre, puis cochez la bonne réponse.**

1 Philippe commence son enquête en rendant visite à un
a ☐ généraliste. **b** ☐ généalogiste. **c** ☐ général.

2 Il avait déjà pris contact avec Marius Tamarin par
a ☐ mail. **b** ☐ téléphone. **c** ☐ lettre.

3 On peut accéder au cirque de Mafate
a ☐ en voiture. **b** ☐ à pied et par avion. **c** ☐ en bateau.

4 David Mallet vit dans un îlet composé de 4
a ☐ bases. **b** ☐ cases. **c** ☐ rases.

5 Philippe est heureux que Rose-May le
a ☐ vouvoie. **b** ☐ regarde. **c** ☐ tutoie.

6 La jeune femme travaille à la mise au point d'un
a ☐ plat épicé. **b** ☐ vaccin. **c** ☐ virus.

2 Qui a dit, ou aurait pu dire, les phrases suivantes ?

a Philippe Latour **b** Rose-May **c** Marius Tamarin

1 ☐ J'ai reçu une lettre de menace.
2 ☐ J'ai des informations sur les esclaves de Tromelin.
3 ☐ J'aide les gens à retrouver leurs ancêtres.
4 ☐ Mon enquête n'avance pas vite.
5 ☐ La retraite me permet de me consacrer à mon passe-temps favori.
6 ☐ Pourquoi lui ai-je fait confiance ?

3 Que s'est-il passé...

1 après que Philippe a quitté le généalogiste ?

....

2 pendant que Philippe est au cirque de Mafate ?

....

3 avant que Philippe n'enfourche sa moto ?

....

4 pendant le dîner au restaurant ?

....

5 après que Rose-May laisse Philippe au restaurant ?

....

6 après que les deux hommes s'enfuient ?

....

6 DELF

4 Écoutez l'enregistrement sur le chikungunya, puis dites si les affirmations sont vraies (V) ou fausses (F).

		V	F
1	« Chikungunya » est le nom du moustique responsable de la maladie.	☐	☐
2	La maladie est apparue pour la première fois en Inde.	☐	☐
3	La personne infectée ne se tient pas droite.	☐	☐
4	Le virus peut se transmettre d'un homme à un moustique.	☐	☐
5	Un moustique peut infecter plusieurs personnes.	☐	☐
6	Prendre des médicaments peut empêcher l'infection.	☐	☐
7	Le malade doit faire du sport pour transpirer et évacuer le virus.	☐	☐
8	Le plus utile est de combattre la prolifération des moustiques.	☐	☐

Enrichissez votre **vocabulaire**

5 Récrivez les phrases en replaçant les expressions soulignées dans la phrase qui convient.

1 Les paysages sont magnifiques ! La vue est à laisser tomber !

....

2 L'enquête renforce l'efficacité et devrait durer longtemps.

....

3 Il a voulu couper le souffle tellement cela ne menait à rien.

....

4 Après un long silence, Philippe prend congé avec Rose-May.

....

5 Le saliette fait des miracles et entame une conversation du vaccin.

....

6 Philippe est sur le point de partir et il piétine du jeune homme.

....

6 Trouvez les 15 mots cachés dans cette grille se rapportant à l'histoire.

A	E	L	D	I	N	D	I	E	N
I	N	F	E	C	T	I	O	N	M
L	Q	W	S	A	I	B	R	E	O
E	U	Y	C	S	L	C	P	R	U
E	E	R	E	U	N	I	O	N	S
S	T	Z	N	C	M	R	L	V	T
C	E	T	D	A	O	Q	I	I	I
L	B	C	A	S	R	U	C	L	Q
A	L	P	N	E	T	E	I	E	U
V	M	O	T	O	A	V	E	T	E
E	V	I	R	U	S	U	R	O	I

Grammaire

Le gérondif

Cette forme impersonnelle du verbe est formée par le participe présent du verbe précédé de « en » : ***en parlant, en conduisant***.

L'action décrite se passe en même temps que celle du verbe principal (les deux verbes ont le même sujet).

Elle lui tourna le dos et reprit son chemin ***en accélérant*** *le pas.* (elle reprend son chemin et, en même temps elle, elle accélère le pas).

L'utilisation de **tout** marque l'opposition entre les deux actions.

Tout ***en mentant****, Philippe gagnait la confiance de Rose-May.*

7 Transformez les phrases en utilisant le gérondif.

1 Marius était vieux et s'y connaissait en nouvelles technologies.

....

2 Quand Philippe est arrivé à Mafate, il était fatigué.

....

3 Le jeune homme était aimable, mais ne dit rien au policier.

....

4 Rose-May s'est mise en danger parce qu'elle a quitté Philippe.

....

5 S'il protège Rose-May, Philippe regagnera peut-être sa confiance.

....

6 Rose May lui jeta un regard de mépris et elle sortit du restaurant.

....

Production écrite et orale

8 Reproduisez votre arbre généalogique sur une feuille de papier. Jusqu'à quelle génération pouvez-vous, de mémoire, citer les noms et les professions des membres de votre famille ?

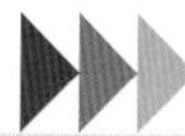 PROJET **INTERNET** 

L'information à La Réunion

1 Rendez-vous sur les sites Internet des principaux journaux réunionnais pour découvrir leurs spécificités. Répondez aux questions.

1 Comment se nomment ces quotidiens ?

2 Quelles sont les spécificités de chacun ?

2 Rendez-vous sur le site Internet de l'un des grands quotidiens nationaux français, comme par exemple, Le Monde, Libération ou Le Figaro. Comparez la une de ces journaux avec celle des quotidiens locaux réunionnais, puis répondez aux questions.

1 Quels sont les différences et les points communs ?

2 Quels sont les sujets typiquement réunionnais ?

3 Vous devez écrire deux articles : un pour un journal local et l'autre pour un journal régional de votre pays. Suivez les étapes !

Étape 1. Choisissez une rubrique de journal : faits divers, sport, politique, économie, etc. (la même pour les deux journaux).

Étape 2. Choisissez un sujet qui vous intéresse en rapport avec cette rubrique.

Étape 3. Cherchez du matériel pour vos articles : informations, photos, etc.

Étape 4. Écrivez vos articles d'environ 250 mots chacun en respectant les spécificités de chaque journal.

CHAPITRE 4

David Mallet

Le téléphone de Rose-May sonna à trois heures du matin. L'un des membres de la délégation de l'Unesco avait été admis aux urgences de l'hôpital avec les symptômes caractéristiques du chikungunya : une fièvre élevée, de très fortes douleurs dans les articulations et une éruption cutanée [1] sur différentes parties du corps. L'hôpital avait déclenché le premier niveau du dispositif d'alerte. Rose-May, en tant que spécialiste de la maladie, était en première ligne.

Philippe la déposa à moto devant l'entrée des urgences et insista pour qu'elle le prévienne dès qu'elle quitterait de nouveau les lieux. Il s'apprêtait à redémarrer lorsqu'une voiture s'arrêta à quelques mètres de lui. Le commissaire Fontaine en descendit. Il s'étonna de la présence de Philippe :

1. **Une éruption cutanée** : apparition de boutons sur la peau.

CHAPITRE 4

— C'est votre enquête qui vous fait jouer les oiseaux de nuit ?

— J'accompagnais Rose-May Tandria. Vous avez eu mon message ? Il y a du nouveau : deux types [2] l'ont agressée hier soir.

François Fontaine réagit sèchement et demanda à Philippe s'il voulait se substituer à la police locale. Il regretta aussitôt de s'être énervé et assura à Philippe qu'il interrogerait Rose-May dans la journée.

Philippe rentra à l'hôtel et dormit jusqu'à huit heures du matin. À peine réveillé, il prit une longue douche sous laquelle il essaya de mettre de l'ordre dans ses idées. Il était encore en train de se sécher les cheveux lorsque son téléphone vibra : un SMS venait d'arriver. Philippe sourit en constatant qu'il venait de Rose-May : elle lui donnait rendez-vous à la cafétéria de l'hôpital à onze heures et demie.

Rose-May arriva avec dix minutes de retard. Au visage de la jeune femme, Philippe comprit tout de suite que les nouvelles n'étaient pas bonnes.

— Le malade est atteint d'une forme du virus jusqu'alors inconnue. L'évolution de la maladie est plus rapide que d'habitude.

Rose-May baissa la voix et continua :

— J'ai trouvé des traces de saliette dans le sang du malade. Il y a de fortes chances qu'en trop grande quantité, cette plante accélère l'évolution de la maladie

— La plante que Siméon te fournissait ?

— Exact. Je ne comprends pas sa présence dans le sang du malade. Il faudrait que... Mais non, c'est impossible !

— Quoi ?

2. **Un type** : dans le langage familier, un homme.

— Nous avons volontairement injecté cette forme du virus à des moustiques pour tester notre vaccin. Mais c'était il y a plusieurs mois. Même si un moustique s'était échappé du labo malgré nos mesures de sécurité draconiennes, il serait mort depuis longtemps. Et puis, les doses étaient bien moins importantes.

Philippe raccompagna Rose-May un peu plus tard jusqu'à l'entrée du laboratoire. Il la regarda passer la porte et lui adresser un petit signe de la main. Il était déjà impatient de la revoir. Son regard s'arrêta sur une photo accrochée au mur : elle avait été prise lors de la fête de Noël de l'année précédente, tout le personnel du service y souriait. Philippe reconnut tout de suite le visage du jeune homme du cirque de Mafate. Il allait décrocher la photo du mur lorsqu'un laborantin l'interpella :

— Hé ho, qu'est-ce que vous faites ?

— Ce n'est pas ce que vous croyez, je n'ai pas l'intention de voler cette photo. Vous connaissez cet homme ?

— David Mallet ? Oui, pourquoi ?

— Il travaille ici ?

— Travaillait ! Il était laborantin dans l'équipe du docteur Rose-May Tandria. Il a démissionné il y a quatre ou cinq mois. Il s'est lancé dans la culture de la vanille et a décidé de faire revivre une plantation abandonnée à Sainte-Rose. Mais attention : pas en esclave !

— Pardon ?

— David disait toujours qu'il serait propriétaire et pas esclave comme ses ancêtres ! Il ne fallait pas plaisanter avec lui sur le sujet !

Le cerveau de Philippe s'emballa [3]. L'information qu'il venait

3. **S'emballer** : ici, réfléchir très vite, à la limite de perdre le contrôle.

d'apprendre était trop mince pour tirer des conclusions, mais elle déclencha en lui l'excitation qui le prenait chaque fois que le brouillard entourant une enquête se dissipait. La veille, David Mallet lui avait menti sur son nom, il avait travaillé dans le laboratoire de Rose-May, et il était sensible aux questions sur l'esclavage. Cette piste méritait d'être mieux explorée et la prochaine étape s'imposait d'elle-même : il devait s'entretenir de nouveau, et le plus vite possible, avec ce David Mallet.

La route jusqu'à l'îlet lui parut plus rapide que la première fois. Il se dirigea directement vers la case devant laquelle il avait rencontré le jeune homme. Personne ne répondit à ses coups sur la porte. Il insista, faisant volontairement beaucoup de bruit. Mais la maison, comme tout l'îlet, était déserte. Philippe n'avait aucun mandat de perquisition [4], mais il refusa d'être venu pour rien : d'un coup d'épaule, il ouvrit une porte située à l'arrière de la case. Il commença par fouiller la pièce principale qui servait visiblement à la fois de salon, de salle à manger, de bureau et de chambre à coucher. Il n'y trouva rien d'intéressant. Il passa dans la cuisine et inspecta la pièce du regard. Des marques au sol attirèrent son attention : un vieux poêle à bois [5] avait été récemment déplacé. Il fit pivoter l'engin et découvrit, cachée derrière celui-ci une vieille boîte en métal d'une marque de vanille. David Mallet n'était pas un as de la dissimulation ! Philippe ouvrit la boîte et trouva à l'intérieur des documents qui semblaient très anciens. Il eût aussitôt le sentiment d'avoir mis la main sur un élément décisif pour son enquête. Il connaissait l'homme qui pourrait le lui confirmer.

4. **Un mandat de perquisition** : autorisation donnée à un policier pour effectuer des recherches dans l'habitation d'un suspect.
5. **Un poêle à bois** : appareil de chauffage.

Compréhension écrite et orale

1 Lisez le chapitre, puis écrivez les questions correspondant à chaque réponse.

1 ....
À trois heures du matin.
2 ....
Un membre de la délégation de l'Unesco a été hospitalisé.
3 ....
Une photo accrochée au mur de l'hôpital.
4 ....
Car David Mallet a de bonnes raisons d'être suspecté.
5 ....
Non, l'îlet est désert.
6 ....
Des papiers anciens.

2 Après avoir lu les quatre premiers chapitres, que pensez-vous des affirmations suivantes ?

1 Rose-May est responsable de la mort de Siméon.
....
2 David Mallet est l'auteur des lettres anonymes.
....
3 Le commissaire Fontaine et Philippe collaborent bien ensemble.
....
4 Philippe devrait se méfier de Marius Tamarin.
....
5 L'infection du membre de l'Unesco n'a rien à voir avec l'enquête.
....
6 Philippe est complètement indifférent aux charmes de La Réunion.
....

3 **Lisez ce texte, extrait d'une présentation touristique de l'île de La Réunion, puis répondez aux questions.**

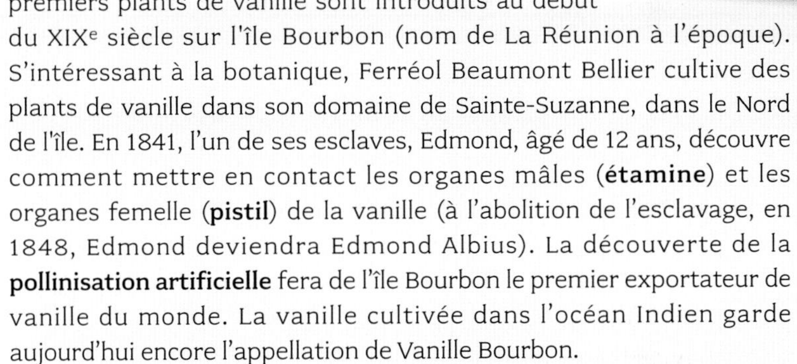

La **vanille** a été découverte au début du XVIe siècle en Amérique du Sud par les conquérants espagnols. Au XVIIe siècle, on s'en sert en France pour aromatiser le chocolat, les bonbons et le tabac. Au XVIIIe siècle, de nombreux scientifiques font pousser cette orchidée en serres chaudes pour l'étudier. Mais sa culture reste un mystère : rares sont les **plants de vanille** qui donnent des **gousses**. Certains botanistes ont alors l'idée de la cultiver sous un climat tropical, proche de celui de sa région d'origine. C'est comme cela que les premiers plants de vanille sont introduits au début du XIXe siècle sur l'île Bourbon (nom de La Réunion à l'époque). S'intéressant à la botanique, Ferréol Beaumont Bellier cultive des plants de vanille dans son domaine de Sainte-Suzanne, dans le Nord de l'île. En 1841, l'un de ses esclaves, Edmond, âgé de 12 ans, découvre comment mettre en contact les organes mâles (**étamine**) et les organes femelle (**pistil**) de la vanille (à l'abolition de l'esclavage, en 1848, Edmond deviendra Edmond Albius). La découverte de la **pollinisation artificielle** fera de l'île Bourbon le premier exportateur de vanille du monde. La vanille cultivée dans l'océan Indien garde aujourd'hui encore l'appellation de Vanille Bourbon.

1 Comment résumeriez-vous ce texte en une phrase ?

....

2 Comment le résumeriez-vous en trois phrases ?

....

3 Pourquoi trouve-t-on tant de plantations de vanille à La Réunion ?

....

4 D'où vient l'appellation « Bourbon » de la vanille ?

....

5 Comment appelle-t-on les organes femelles et mâles d'une plante ?

....

6 Qu'est-ce que la pollinisation d'une plante ?

....

4 Le blason de La Réunion est créé en 1925, lors de l'exposition coloniale organisée sur l'île. Observez-le, puis cochez la bonne réponse.

1 Les lettres MMM surmontant les trois sommets désignent
- a ☐ la hauteur approximative du Piton des neiges (3 070 mètres).
- b ☐ « Mardi Marin Malin ».

2 Le navire dessiné est
- a ☐ l'*Utile* qui a fait naufrage sur l'île de Tromelin.
- b ☐ le *Saint-Alexis* qui fit de l'île une possession française en 1638.

3 Les abeilles représentent
- a ☐ le miel fabriqué en abondance sur l'île.
- b ☐ la domination de l'île sous le Premier Empire par Napoléon.

4 Les trois fleurs de lys représentent
- a ☐ la période où l'île était gouvernée par la monarchie française.
- b ☐ la flore colorée de La Réunion.

Enrichissez votre **vocabulaire**

5 Cherchez dans le chapitre 4 les expressions correspondant aux définitions suivantes.

1 Être directement concerné par un évènement.

....

2 Vivre la nuit.

....

3 Faire le point sur ce qu'on sait ou pense.

....

4 Dire des choses pour faire rire.

....

5 Trouver quelque chose.

....

6 Être fort dans un domaine.

....

6 Expliquez dans quel contexte ces mots du chapitre 4 sont utilisés.

1 urgences ....
2 agressée ....
3 SMS ....
4 draconiennes ....
5 démissionné ....
6 dissimulation ....

7 Complétez les phrases en utilisant les mots de l'exercice 6.

1 Après avoir été ...., elle fût transportée aux ....
2 Il a .... et il annoncé la nouvelle à son chef par ....
3 Les règles de sécurité pour monter dans les avions sont ....
4 Il est le meilleur dans l'art de la ....

Production écrite et orale

8 Expliquez la découverte et le développement d'une spécialité de votre région (plante, spécialité culinaire, technique industrielle...).

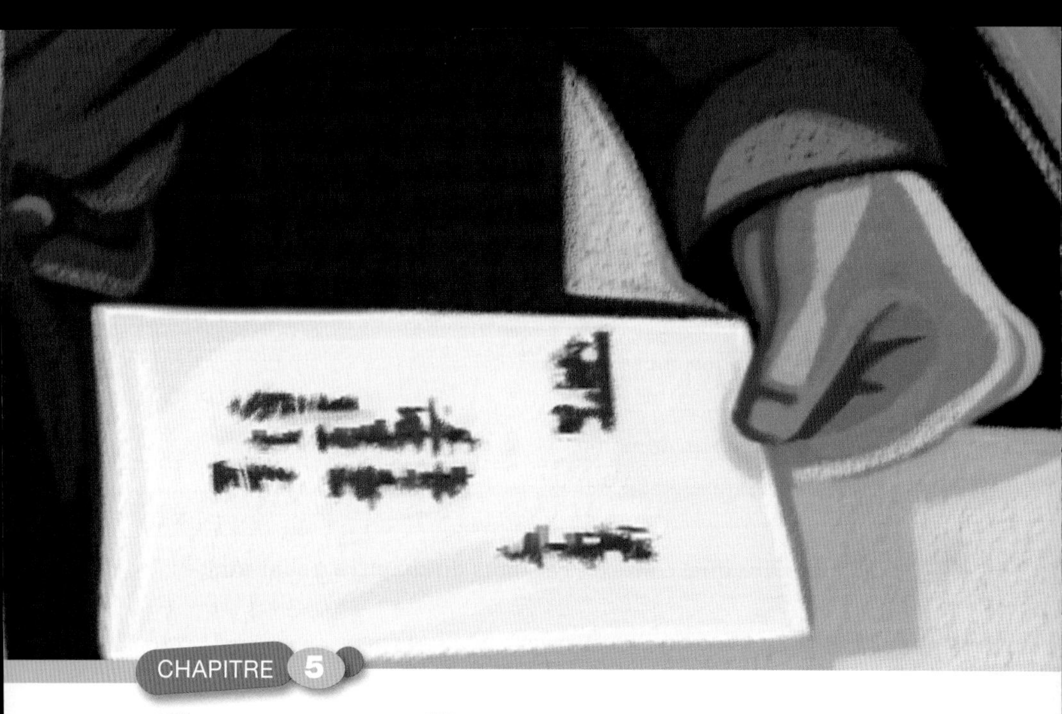

CHAPITRE 5

François Fontaine

Marius Tamarin, le généalogiste, reçut Philippe avec un grand sourire : « Je savais qu'on se reverrait, mais je ne pensais pas que cela arriverait si vite ». Le vieil homme se sentit défaillir [1] lorsque Philippe étala devant lui les documents trouvés dans la case de David Mallet. Il attrapa une paire de gants blancs et se saisit d'une première feuille avec délicatesse.

— Pouvez-vous me dire de quoi il s'agit exactement ? s'impatienta Philippe.

— Du calme, jeune homme.

Le vieil homme chassa [2] gentiment le commissaire de son bureau. Il avait besoin de calme avant de pouvoir lui donner une réponse. Lorsqu'il réapparut une heure plus tard, son visage rayonnait :

1. **Défaillir** : perdre temporairement ses forces physiques.
2. **Chasser** : ici, faire sortir.

— Ces documents sont exceptionnels ! Bien sûr, seuls des experts pourront les authentifier avec certitude, mais je n'ai pratiquement aucun doute : ils sont authentiques ! Les plus vieux semblent dater du milieu du XVIIIe siècle. De véritables merveilles. Regardez ! J'en tremble !

— Et sur David Mallet ? Vous avez du nouveau ?

— Vous ne prenez jamais le temps d'admirer les choses, n'est-ce pas ? Eh bien, oui, il y a aussi des informations qui concernent ce jeune homme, un arbre généalogique, notamment. S'il s'avère exact, alors David Mallet est le descendant d'une femme qui se trouvait sur l'île Tromelin !

« C'est peut-être mon homme », pensa Philippe. David Mallet pouvait-il être l'auteur des lettres anonyme prêt à commettre un attentat pour venger ses ancêtres ?

— Après votre visite, enchaîna le généalogiste, je n'ai pas pu m'empêcher de faire quelques recherches sur votre famille. C'est une manie [3] dès que je rencontre un nouveau visage. Vous ne seriez pas l'arrière-arrière-petit-fils de Joseph Latour et Clarisse Mallet par hasard ?

Philippe acquiesça [4] en se demandant ce que venait faire son histoire personnelle dans cette affaire.

— Dans ce cas, expliqua Marius Tamarin, votre aïeule se trouve faire partie du même arbre généalogique que David, sur cette branche cousine, là, en haut de l'arbre.

Le généalogiste insista devant le silence du policier :

— Vous comprenez ce que cela veut dire ? Vous aussi, vous êtes un descendant d'une esclave oubliée de Tromelin.

3. **Une manie** : passion pour quelque chose.
4. **Acquiescer** : montrer que l'on est d'accord.

CHAPITRE 5

Philippe ne laissa paraître aucune émotion. Cette nouvelle avait-elle une signification pour lui ? Comme tout le monde, il avait des ancêtres et les siens venaient de l'île de La Réunion, il le savait déjà. Mais il apprenait aujourd'hui que certains avaient été des esclaves et, pire que tout, qu'ils avaient été abandonnés sur un morceau de terre au milieu de l'océan. Comment devait-il réagir face à cet héritage soudain ? Il chassa la question de son esprit. En bon policier, il savait qu'il ne fallait jamais mélanger travail et vie privée. Il devait mener son enquête jusqu'au bout et il aurait toujours le temps de revenir sur le sujet plus tard. Philippe confia les documents à Marius Tamarin et regagna son hôtel. En pénétrant dans le hall, il composa le numéro de Rose-May sur son téléphone portable. Elle avait travaillé avec David Mallet et pourrait probablement lui en apprendre un peu plus sur ce jeune homme. La messagerie se déclencha et il parla après le bip : « C'est Philippe. J'ai du nouveau. J'ai besoin de te parler le plus vite possible ». Philippe sourit en pensant que son empressement [5] n'était pas que professionnel.

Son attention fut attirée par le son d'une télévision provenant d'un petit salon donnant sur le hall. Il se joignit à quatre personnes qui regardaient un flash spécial diffusé par Réunion 1ère : l'observatoire volcanique du Piton de la Fournaise avait relevé son niveau d'alerte et prévoyait une éruption dans les quarante-huit heures. La journaliste fit la liste des règles de prudence à observer, puis détailla, à l'aide d'une carte animée, les zones de l'île à éviter et celles dont les accès seraient interdits dès le lendemain matin. La sonnerie du téléphone de Philippe souleva la réprobation [6]

5. **L'empressement** : envie de faire quelque chose rapidement.
6. **La réprobation** : expression du désaccord

générale. Il quitta le salon pour répondre et fut déçu d'entendre la voix de François Fontaine : il en avait espéré une autre... Le commissaire se trouvait dans l'appartement de Rose-May Tandria et demandait à Philippe de le rejoindre sur le champ.

Philippe n'obtint pas plus de précision et ce fût, essoufflé [7] et cachant mal son angoisse, qu'il serra la main du commissaire, moins de dix minutes plus tard.

— Où est Rose-May ?

— J'aimerais bien le savoir. Elle a quitté le laboratoire vers quinze heures et elle est introuvable depuis. Par contre, j'ai quelque chose qui devrait vous intéresser.

François Fontaine tendit à Philippe l'exemplaire d'une lettre anonyme destinée aux maires de Paris, Nantes et Bordeaux. Il désigna ensuite le tiroir d'un bureau qui contenait des journaux, de la colle et des ciseaux. Philippe chercha sans succès à nier l'évidence : Rose-May était l'auteur des lettres. Il accusa le coup. Rose-May s'était moquée de lui. Les pièces du puzzle s'assemblaient et il vit les événements des derniers jours sous une autre lumière. Il sourit même en pensant qu'il avait protégé la jeune femme des menaces qu'elle avait elle-même fabriquées de toutes pièces. Mais pourquoi faisait-elle tout ça ?

Philippe raconta alors à Fontaine les découvertes qu'il avait faites dans la case de David Mallet. Le commissaire le félicita, admettant que sa théorie sur la vengeance quelques siècles plus tard s'avérait juste. Philippe aurait préféré avoir tort...

— Au fait, la personne de l'Unesco atteinte de chikungunya est décédée [8] , l'informa le commissaire.

7. **Être essoufflé** : avoir du mal à respirer.
8. **Décéder** : mourir.

— Rose-May m'a affirmé hier qu'elle était hors de danger.

— Elle avait raison, mais quelqu'un lui a injecté une dose mortelle de cyanure...

Philippe ne demanda pas si l'on avait des soupçons sur l'auteur du crime. Il était incapable d'imaginer Rose-May derrière tout cela, mais son jugement sur la jeune femme était faussé par des sentiments qui ressemblaient beaucoup à ceux d'un coup de foudre [9] . Il se sentit ridicule : il avait trente-huit ans, il s'occupait d'une affaire qui mettait en danger la vie de milliers de personnes et son cœur battait la chamade [10] comme celui d'un adolescent avant son premier rendez-vous amoureux. Ce que Rose-May accomplissait était atroce et il aurait voulu la détester pour cela.

— Vous avez une idée de l'endroit où elle se cache ? demanda Philippe.

— Les possibilités sont nombreuses sur l'île et les recherches vont être difficiles à cause de toutes les mesures de sécurité à respecter.

— Nous sommes le 8 mai... Nous n'avons plus que deux jours pour les retrouver, elle et David Mallet, avant qu'ils ne mettent leur menace à exécution.

Philippe avait chassé Rose-May de ses pensées. Pour lui, elle n'était plus désormais qu'une dangereuse fugitive.

9. **Un coup de foudre** : ici, tomber amoureux au premier regard.
10. **Battre la chamade** : lorsque le cœur bat vite sous l'effet d'une émotion.

Production écrite et orale

DELF **1 Écoutez l'enregistrement du chapitre, puis répondez aux questions.**

1 Qu'apprend-on dans ce chapitre sur David Mallet ?
2 Qu'ont en commun David Mallet et Philippe Latour ?
3 Quels indices plaident pour la culpabilité de David Mallet ?
4 Quel est le sujet du flash télévisé ?
5 Qu'est-ce que le « Piton de la Fournaise » ?
6 De quoi le commissaire Fontaine accuse-t-il Rose-May ?
7 Est-ce que le chikungunya est la cause de la mort du membre de l'Unesco ?
8 Pourquoi Philippe se sent-il ridicule ?

2 Dans quel état se trouve Philippe lorsque...

abattu déterminé excité impatient pressé surpris

1 il donne les vieux documents au généalogiste ? ....
2 Marius lui annonce que David est un descendant d'une « esclave oubliée » ? ....
3 Marius Tamarin lui fait part de son ascendance ? ....
4 il téléphone à Rose-May ? ....
5 il découvre qui est Rose-May ? ....
6 il se lance à la recherche des deux fugitifs ? ....

3 Expliquez dans quel contexte ces mots du chapitre 5 sont utilisés.

1 des gants blancs ....
2 une carte animée ....
3 une sonnerie de téléphone ....
4 une dose de cyanure ....

Enrichissez votre **vocabulaire**

4 Retrouvez les mots correspondant à chaque photo.

Mlle Lilou,

Votre mission est de vou
le 3 mai 2008 à 13h45 che
dame au nom de code n
là, vous y retrouverez v
équipe d'action qui vous
donneront les prochai
instructions.

1 Une l_ _ _ _ _
a_ _ _ _ _ _

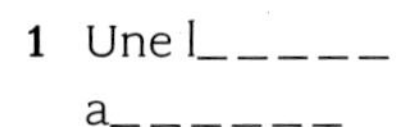

2 erbra euqigolaénég
Un ....

3 ntgas cbanls
Des ....

4 Une é_ _ _ _ _ _ _
volcanique

5 Une
j_ _ _ _ _ _ _ _ _e

6 btue ed lloec
Un ....

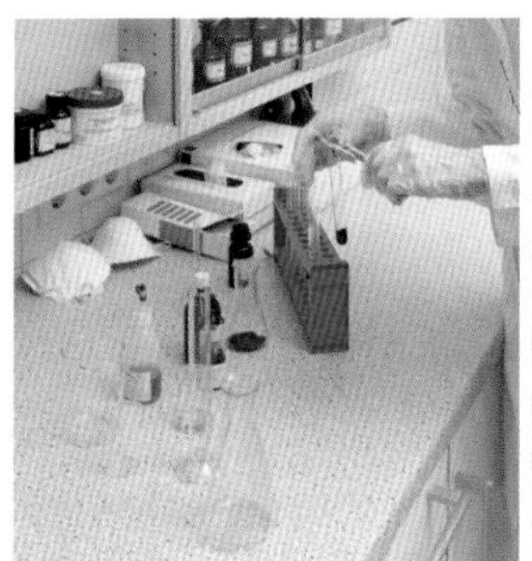

7 Laboratoire/patinoire/
suppositoire ?

8 Un journal
Des ....

9 Un t_l_ph_n_
p_rt_bl_

5 **Dans le chapitre 5, les mots suivants ont un sens bien précis, indiqué entre parenthèses, mais connaissez-vous l'autre signification qu'ils peuvent avoir ?**

1 Coup de foudre (*tomber amoureux*)

....

2 Chasser (*faire sortir*)

....

3 Rayonner (*rayonner de joie = être heureux*)

....

4 Descendant (*un membre de la famille*)

....

5 Une branche (*partie d'un arbre généalogique*)

....

6 Champ (*rejoindre quelqu'un sur le champ = le rejoindre immédiatement*)

....

6 **Complétez la lettre anonyme**

N'esp___z ___ dor___ en p___x !

Vous avez aba____né des fe____ et des en_____.

Vous ___ a__z tu__ !

Le ___ mai, les _____ négriers paier___ pour leur pa__é.

Vous nous avez o_____s, nous __ vous oublie___ pas !

G_____ de la mém____ oubli__.

7 Dans cette histoire, vous avez déjà rencontré les sigles DCRI, Unesco et TAAF. Connaissez-vous la signification de ceux-ci ?

1 RF
- a ☐ Recette facile.
- b ☐ République française.
- c ☐ Restaurant fermé.

2 DROM
- a ☐ Document reproduit ou modifié.
- b ☐ Danger rendant l'ouverture minimale.
- c ☐ Département et région d'outre-mer.

3 OT
- a ☐ Ouragan terrible
- b ☐ Office de tourisme
- c ☐ Outre-terre.

4 QCM
- a ☐ Questionnaire à choix multiples.
- b ☐ Quartier pour croisières maritimes.
- c ☐ Quantité croissante de moustiques.

Production écrite et orale

8 Vous êtes journaliste. Écrivez un articles de cinq lignes sur la disparition de Rose-May et les soupçons de la police.

9 Résumez à l'oral la situation de l'enquête de Philippe à la fin du chapitre 5.

10 Découpez des lettres dans un journal et écrivez une lettre anonyme.

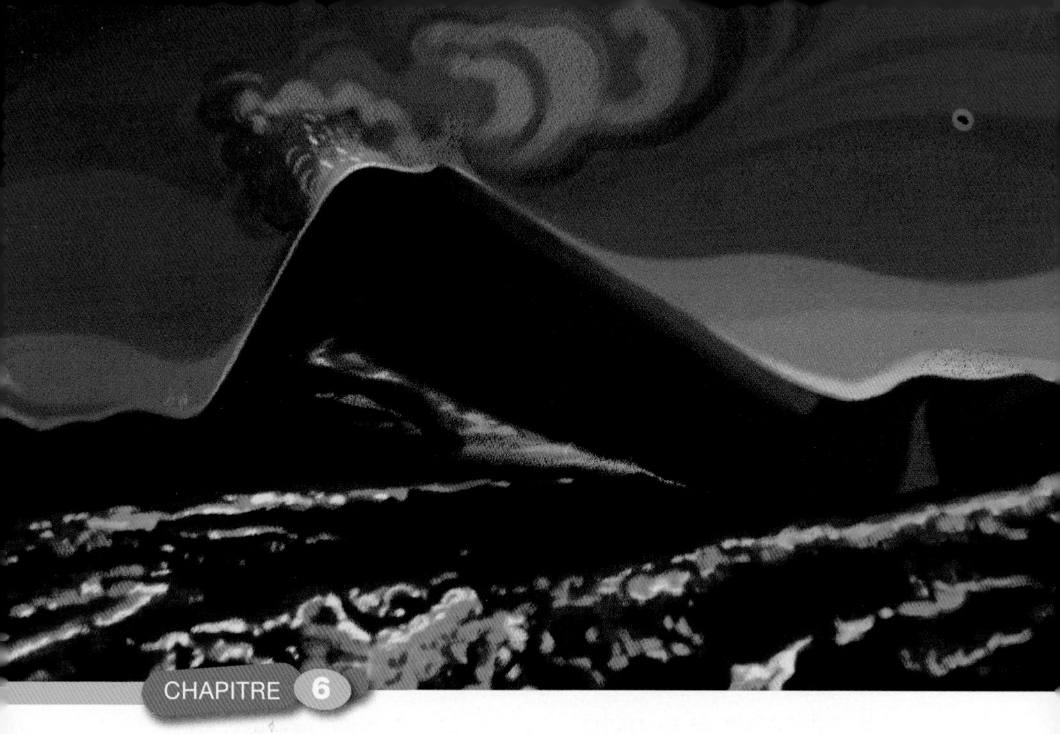

CHAPITRE 6

Le Piton de la Fournaise

Philippe quitta l'hôpital de Saint-Denis le lundi 9 mai à 9 heures du matin. Il avait la tête lourde. Il venait de s'entretenir pendant une heure avec le chef du laboratoire de recherches contre les maladies infectieuses [1]. L'homme était encore sous le choc des révélations concernant Rose-May et David Mallet. Il avait disserté sur le chikungunya, les moustiques et les possibilités d'utiliser ces insectes pour exterminer une population. Après avoir trouvé dans un premier temps l'idée fantaisiste, et même irréalisable, il avait exposé comment, lui, procéderait : trouver des moustiques ne représentait aucun problème (un peu d'eau douce et stagnante était un foyer [2]

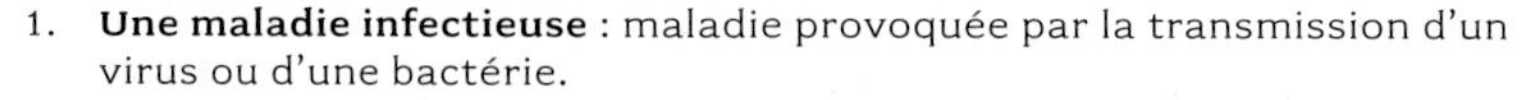

1. **Une maladie infectieuse** : maladie provoquée par la transmission d'un virus ou d'une bactérie.
2. **Un foyer** : ici, point central d'où provient quelque chose.

suffisant), inoculer [3] le virus aux femelles était aussi techniquement possible (il suffisait de les laisser piquer un animal infecté). Il ne restait plus qu'à les maintenir en vie suffisamment longtemps et de réussir à les transporter sur des milliers de kilomètres. La chose était délicate et demandait connaissances et savoir-faire, mais elle était du domaine du possible. Le professeur avait conclu en assurant qu'il n'avait jamais imaginé Rose-May capable d'une telle chose, mais qu'elle possédait malheureusement toutes les compétences nécessaires.

Philippe passa ensuite au commissariat. Il comptait organiser les recherches des deux fugitifs avec François Fontaine. Le policier à l'accueil lui apprit que le commissaire Fontaine surveillait l'application du plan d'urgence dans l'est de l'île et serait absent toute la journée. Philippe fut surpris de ne pas avoir été directement prévenu. Seul, il ne serait pas efficace et chaque heure comptait. Il demanda à utiliser un fax : il voulait envoyer un rapport sur les progrès de l'enquête au directeur de la police à Paris. On lui montra le seul disponible, installé dans le bureau de François Fontaine. Philippe essaya plusieurs fois d'envoyer son document sans succès avant de constater qu'une feuille de papier était coincée dans l'appareil. Il pesta [4] en essayant d'ouvrir celui-ci. Du bout des doigts, il réussit à tirer la feuille, qui se déchira. Il recommença trois fois et obtint trois morceaux de papier qu'il chiffonna avant de les jeter dans la corbeille.

Il se figea, puis sentit son cerveau en alerte : ses yeux avait vu quelque chose. Il plongea la main dans la corbeille et assembla les trois morceaux de papier sur le bureau. Il s'agissait d'un

3. **Inoculer** : introduire dans l'organisme.
4. **Pester** : manifester son mécontentement.

bordereau d'expédition [5] par mer de papillons du Port de Sainte-Rose vers la métropole. Le bateau était affrété [6] par l'Unesco et le document était adressé à un certain Richard Wallace. La date était illisible. Philippe relut plusieurs fois le nom avant de faire le lien avec le bureau dans lequel il se trouvait : « Wallace comme les fontaines du même nom installées à Paris ! Richard Wallace EST François Fontaine ! ». Le commissaire utilisait un faux nom, il était en liaison avec un membre de l'Unesco et cherchait à envoyer des insectes en métropole. Une idée jaillit dans la tête de Philippe. Il téléphona au généalogiste qui indiqua qu'il se pouvait que la famille Fontaine descende elle aussi d'un esclave de l'île de Tromelin, mais qu'il lui manquait des preuves pour l'affirmer. « Moi, j'ai la preuve » pensa Philippe en mettant fin à la conversation. C'est le commissaire Fontaine qui était le complice de David Mallet, pas Rose-May ! Tous les deux s'étaient engagés dans une vengeance folle, deux cents ans après le naufrage de leurs ancêtres ! Rose-May, elle, était en danger. Philippe demanda au policier de garde où il pouvait trouver une ancienne plantation de vanille dans la région de Sainte-Rose. Celui-ci fut heureux de lui indiquer l'emplacement exact avant de le mettre en garde : elle se situait sous le volcan et l'accès en était interdit.

Philippe n'écouta pas les conseils bienveillants du policier et prit la route. Il longea la côte et passa les villes de Sainte-Suzanne et Saint-André avant qu'un premier barrage [7] de gendarmerie ne le bloque à Saint-Benoît. Il mentit sur sa destination et fut

5. **Un bordereau d'expédition** : document comportant les renseignements nécessaires pour envoyer un paquet.
6. **Affréter** : louer un moyen de transport.
7. **Un barrage** : ici, dispositif de police empêchant de passer.

autorisé à repartir. Il roula à tombeau ouvert [8] jusqu'à Sainte-Anne où un gendarme le fit stopper pour laisser passer plusieurs camions de pompiers. Le ciel s'assombrissait de plus en plus. Le gendarme lui indiqua que la route vers Sainte-Rose n'était accessible qu'aux équipes d'urgence. Philippe montra sa carte de police et dit être rattaché à l'équipe du commissaire Fontaine. Le nom servit de laissez-passer. Philippe quitta la route principale à Sainte-Rose. Il s'engagea trois kilomètres plus loin dans un sentier qui gravissait [9] les flancs du volcan. Il croisa un homme qui lui indiqua le chemin menant à la plantation, mais lui déconseilla de s'y aventurer. Une faille s'était ouverte quelques kilomètres plus haut et la lave n'allait pas tarder à en sortir. Philippe le remercia, mais poursuivit son chemin. Il abandonna sa moto deux cents mètres plus haut. Après dix minutes de marche dans la forêt, le terrain se dégagea et Philippe découvrit une vue imprenable sur le volcan. Son sommet était surmonté d'un immense nuage et des panaches de fumée apparaissaient ça et là sur ses côtés. Philippe aperçut une cabane [10]. Une faible lumière filtrait des fenêtres. Il sortit son arme de service. L'atmosphère se chargeait en gaz et l'air était de plus en plus irrespirable. Chaque pas devenait pénible. Il n'était plus qu'à quelques mètres de la cabane lorsque la porte de celle-ci s'ouvrit. Philippe barra la route [11] à David Mallet et François Fontaine. Le plus jeune, pris de panique, s'enfuit vers les hauteurs du volcan. Il n'avait pas parcouru trente mètres qu'une forte explosion éventra le sol

8. **À tombeau ouvert** : conduire à une vitesse beaucoup trop importante.
9. **Gravir** : monter.
10. **Une cabane** : petite maison, généralement en bois.
11. **Barrer la route** : empêcher de passer.

devant lui. David Mallet n'eut pas le temps de rebrousser chemin [12] et disparut dans le trou béant [13].

— Où est Rose-May ? hurla Philippe au commissaire.

— Sauvez votre peau au lieu de jouer les chevaliers servants !

Une deuxième explosion retentit. Des gerbes de feu et de pierres en fusion s'élevèrent derrière la cabane. Philippe se précipita à l'intérieur, laissant le chemin libre à François Fontaine qui en profita pour s'enfuir. Il trouva Rose-May attachée sur un lit et bâillonnée. Philippe délivra la jeune femme qui se jeta dans ses bras, puis il l'entraîna à l'extérieur. Le spectacle était apocalyptique ! La cabane restait encore protégée par un monticule de terre, qui ne résisterait pas longtemps aux coulées de lave qui dévalaient à présent les flancs du volcan dans un bruit infernal. Philippe et Rose-May comprirent qu'il n'était plus possible de fuir et qu'ils allaient bientôt mourir. Ils se serrèrent l'un contre l'autre. Philippe restait muet, cherchant ses mots. Rose-May se mit à pleurer, puis à hurler. Il la serra encore plus fort contre lui. La fumée les empêchait de respirer et leurs poumons les faisaient de plus en plus souffrir. Dans quelques instants, ils perdraient connaissance. Philippe se surprit à le souhaiter, c'était sans doute mieux ainsi. Ils s'assirent devant la cabane, pétrifiés par la peur. Philippe eut juste le temps de prononcer quelques mots avant de s'évanouir :

— J'aurais voulu vivre plus longtemps. Pour toi...

12. **Rebrousser chemin** : retourner en arrière.
13. **Béant** : grand ouvert.

Compréhension écrite et orale

1 Écoutez l'enregistrement du chapitre, remettez les mots dans l'ordre, puis dites si les affirmations suivantes sont vraies (V) ou fausses (F).

		V	F
1	ensemble/Fontaine et/Les commissaires/Latour/ cherchent/les fugitifs	☐	☐
2	grâce/se rend compte de/au fax/Philippe/son erreur	☐	☐
3	en place/à cause de/l'éruption/des barrages/ La police/a mis	☐	☐
4	sur les flancs/est située/La cabane/du volcan/de David	☐	☐
5	tombe/en cherchant/Rose-May/dans une faille/à fuir	☐	☐
6	Philippe/trop tard/son amour/Il est/à Rose-May/ avoue/quand	☐	☐

DELF **2 Lisez le chapitre, puis cochez la bonne réponse.**

1 Utiliser des moustiques pour exterminer une population est
- a ☐ possible.
- b ☐ impossible.

2 Wallace est le
- a ☐ faux nom utiliser par le commissaire Fontaine.
- b ☐ nom du complice du commissaire à l'Unesco.

3 Rose-May est dans la cabane avec Fontaine et David Mallet, parce qu'elle est
- a ☐ leur complice.
- b ☐ retenue prisonnière.

4 Alors qu'ils vont mourir, Philippe avoue à Rose-May qu'il
- a ☐ l'aime.
- b ☐ la déteste.

3 **Lisez le document, puis répondez aux questions.**

PRÉFECTURE DE LA RÉUNION

COMMUNIQUÉ

PLACE DU BARACHOIS
97405 ST DENIS CEDEX
STANDARD
Tél :
Fax :

Contact presse
Chef du bureau de la communication interministérielle
Tel. :
GSM :
Fax :

Conseils aux randonneurs

Le volcan est un milieu naturel, hostile, sujet à des changements météorologiques très rapides et parfois violents. La préfecture rappelle que les recommandations relatives à la sécurité en montagne s'appliquent ici tout particulièrement :

- respecter les sentiers balisés (carte disponible)
- respecter strictement l'interdiction de s'approcher de la bordure du cratère au-delà de la zone indiquée au niveau du point d'observation. Il existe des endroits qui peuvent s'effondrer à tout moment.
- consulter la météo avant chaque départ ; ne pas hésiter à reporter une randonnée si les prévisions sont mauvaises.
- ne pas s'engager sur l'itinéraire vers le sommet en cas de météo aléatoire, de brouillard, de fortes pluies et/ou de vent violent.
- savoir faire demi-tour en cas de fatigue ou de signes annonciateurs de mauvais temps.
- prévenir des proches de l'itinéraire envisagé et de l'heure de retour prévue.
- éviter de partir seul et sans moyen de communication.
- prendre assez de provisions en eau, nourriture.
- s'équiper correctement : bonnes chaussures, lampe, bâtons, vêtements chauds, vêtements de protection contre la pluie. Penser à se protéger les mains et les jambes (gants légers, pantalon).
- se protéger contre le soleil (lunettes, crème solaire, chapeau).
- prévoir une trousse de secours (comprenant couverture de survie, pansements, désinfectant...).

1 De quel genre de document s'agit-il ? Par qui a-t-il été écrit ?

....

2 À quoi est comparée une randonnée sur le volcan ?

....

3 À votre avis, quelle utilité a une carte des sentiers balisés ?

....

4 Est-il autorisé d'observer le cratère du volcan ?

....

5 Qu'est-il conseillé de faire en cas de mauvais temps ?

....

6 Quelle attitude faut-il adopter en cas de fatigue ?

....

7 Que veut dire « s'équiper correctement » ?

....

8 Qui sont les « proches » dont il est question ?

....

9 Est-ce une bonne idée de partir seul en randonnée ?

....

10 Qu'est-ce qu'une « trousse de secours » ?

....

4 Associez chaque mot à son contraire.

1 ☐ absent		a agréable
2 ☐ fou		b chuchoter
3 ☐ ancien		c léger
4 ☐ pénible		d nouveau
5 ☐ hurler		e présent
6 ☐ lourd		f raisonné

Enrichissez votre **vocabulaire**

5 Placez les mots sur l'image du volcan.

a une cheminée
b un cratère
c le magma
d une coulée de lave
e la croûte terrestre
f un nuage de cendres

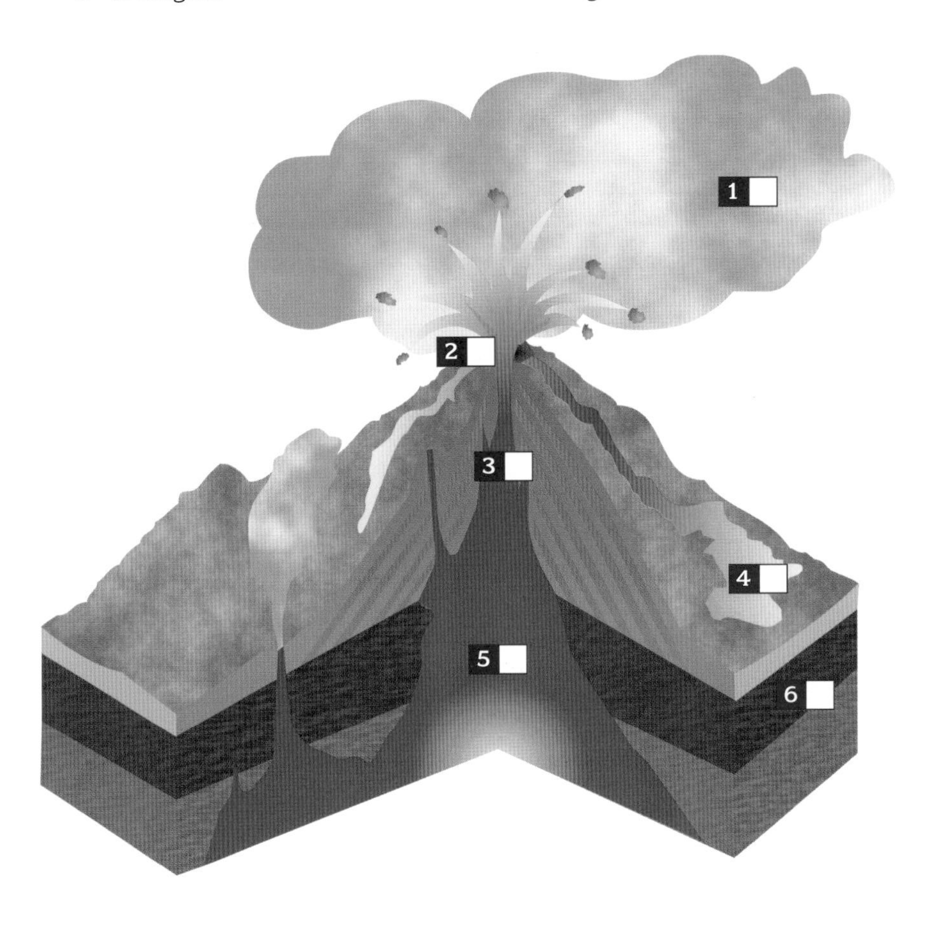

Grammaire

Le conditionnel

Il peut servir à

- exprimer des faits fictifs ou un désir ;
  *Il avait exposé comment, lui, **procéderait** [...]*
- formuler une hypothèse.

*Dans quelques instants, ils **perdraient** connaissance.*

Pour former le conditionnel, il faut ajouter les terminaisons de l'imparfait (**-ais**, **-ais**, **-ait**, **-ions**, **-iez**, **-aient**) au radical du futur.

6 Conjuguez les verbes entre parenthèses au conditionnel.

1 Mon enquête (*aller*) .... plus vite avec l'aide de Fontaine.
2 Tu (*venir*) .... avec moi si je partais ?
3 Philippe (*vouloir*) .... trouver le coupable.
4 Si le volcan se réveillait, il (*être*) .... difficile de trouver les fugitifs.
5 Je n'(*aimer*) .... pas être à sa place.
6 Nous (*acheter*) .... une maison à La Réunion si nous pouvions.

Production écrite et orale

7 Le dernier chapitre approche. Essayez de répondre aux questions.

1 Le commissaire Fontaine réussira-t-il à s'enfuir ?
2 « J'aurais voulu vivre plus longtemps. Pour toi... » Que peut répondre la jeune femme à Philippe ?
3 Philippe et Rose-May ont-ils une chance de s'en sortir ?

Des samoussas.

La cuisine réunionnaise

La cuisine réunionnaise est un mélange de multiples saveurs et de savoir-faire venus d'Europe, d'Afrique et d'Asie.

En apéritif

Les amuse-gueules traditionnels sont les **samoussas**. Ce sont des petits beignes frits, qu'on trouve également en Inde, en forme de triangle et contenant une farce de viande ou de légumes. Les Réunionnais se mettent aussi en appétit avec des **bouchons**, petites boulettes de viande enrobées d'une pâte et originaire de la Chine. Les **bonbons piment**, qui se mangent à toute heure de la journée, sont des anneaux de pâte frits composés de pois du Cap, de curcuma, de gingembre, de coriandre et de piment oiseau (l'un des piments les plus forts).

Un achard de légumes.

Des entrées

Les plus courantes sont les **achards** de légumes (carottes, choux, haricots, poivrons...). Ces derniers sont découpés en lamelles et mis à mariner dans une sauce pimentée. La **salade de palmiste** (une variété de petit palmier) ou de **chouchou** (un fruit qui ressemble à une courge) permettent également de bien commencer un repas. Mais certains leur préfèrent l'assiette de poissons fumés des tropiques, composée par exemple d'espadon, de thon, de daurade, de marlin bleu...

Des plats

Les **caris** se préparent en faisant dorer la viande (poulet ou porc), le poisson (par exemple, du thon) ou les crustacés (crevettes ou langoustes) dans de la matière grasse avant d'ajouter des oignons, des piments et des épices de son choix (curcuma, thym, gingembre, ail...)
Ils sont accompagnés de **rougails** de légumes ou de fruits (tomates, aubergines, mangues vertes, citrons, cacahuètes) : coupés en très petits

Un cari de poulet.

Le curcuma.

morceaux (ou même pilés), ils sont simplement mélangés avec de l'huile, du piment vert, du sel, de l'oignon…
Le riz est également un accompagnement courant : on le mange souvent mélangé avec des lentilles, cultivées sur place, des haricots, rouges ou blancs, ou encore des pois du Cap.

Des desserts

Les fruits tropicaux sont l'un des desserts les plus prisés : litchis, mangues, petits ananas, fruits de la passion, bananes, goyaves… Ils se mangent frais ou en gâteau. La patate douce, utilisée comme légume, est à la base d'un gâteau traditionnel très apprécié.

Des boissons

Le punch est *la* boisson typique de La Réunion. Préparé avec du rhum, il se décline avec tous les fruits et dans toutes les recettes imaginables. Mais le thé et le café sont aussi cultivés et consommés sur l'île (le **café bourbon pointu** n'existe d'ailleurs nulle part ailleurs dans le monde).

Un cari de crustacés.

Compréhension écrite

1 **Choisissez la solution qui convient pour compléter la recette.**

Cari de poulet

Préparation : 30 *minutes/heures/secondes*

Évaporation/Cuisson/Bouillon : 30 minutes

Ingrédients

- un *poulet/porc/bœuf* de 1 kg
- 2 oignons moyens
- 4 gousses *d'ail/de sel/de sucre*
- 8 tomates
- un morceau de gingembre
- un peu de thym
- une demi-cuillère *à thé/café/soupe* de safran ou de curcuma
- du sel, du poivre, de l'huile

Les *remarques/étapes/frappes*

- Couper le poulet en 10 *couteaux/chapeaux/morceaux*.
- Émincer les oignons et les *tomates/sel/poivre*.
- Piler ensemble le sel, le poivre, l'ail et le gingembre.
- Faire *revenir/partir/souffrir* les morceaux de poulet dans l'huile très *froide/grasse/chaude*.
- Lorsque le poulet à une belle *chaleur/fleur/couleur*, ajouter les oignons. Remuer *pendant/jusqu'à/il y a* une minute.
- Ajouter le mélange pilé.
- Ajouter les tomates et le thym. *Mélanger/Frapper/Saupoudrer* pendant deux minutes
- Ajouter le *piment/safran/sucre*. Couvrez ensuite avec *du rhum/du thé/de l'eau*. Porter à ébullition, puis *augmenter/baisser/arrêter* le feu.
- Laisser mijoter à feu doux pendant 15 minutes

CHAPITRE 7

Le 10 mai

Philippe ouvrit les yeux. Il mit quelques instants à réaliser qu'il se trouvait dans une chambre d'hôpital. Il sentit les mains d'une infirmière sur son avant-bras. Elle lui sourit et le rassura : l'intoxication due aux gaz du volcan n'avait eu aucune conséquence grave. Il pourrait sortir de l'hôpital dans la journée.

— Et Rose-May ? murmura Philippe.

— Elle est dans la chambre d'à côté. Elle va bien elle aussi.

Philippe se leva et fut pris d'une violente quinte de toux. Il s'allongea encore quelques minutes, puis fit un nouvel essai, plus lentement cette fois. Il parcourut d'un pas chancelant [1] les quelques mètres qui le séparaient de la chambre voisine.

Rose-May avait les yeux fermés. Comme si elle avait senti sa présence, elle les ouvrit et trouva la force de l'accueillir avec un sourire. Elle lui tendit la main.

1. **Chancelant** : qui manque d'équilibre.

— Comment te sens-tu ?

— Comme une grande fumeuse, dit-elle d'une voix fatiguée. Comment s'en est-on sortis ?

— Aucun souvenir. À part un miracle, je ne vois pas.

L'explication arriva une heure plus tard avec le chef de la gendarmerie de Sainte-Rose qui s'était personnellement déplacé jusqu'à Saint-Denis pour s'assurer de leur état de santé. Il avait reçu un appel anonyme au début de l'éruption le prévenant que deux personnes étaient bloquées dans une cabane sur les flancs du Piton. Un hélicoptère avait aussitôt décollé et on avait réussi à les sauver juste à temps d'une mort certaine.

— Un gendarme suspendu à un treuil [2] vous a hissés à bord de l'hélicoptère alors que vous étiez déjà inconscients. Il s'en est fallu de peu !

Les deux rescapés comprirent que le commissaire Fontaine leur avait sauvé la vie après s'être enfui. Philippe questionna le gendarme sur ce dernier.

— Le commissaire est mort en héros en portant secours à un vieil homme qui refusait d'être évacué à Bois-Blanc.

Philippe et Rose-May ne firent aucun commentaire. Lorsque le gendarme eut quitté la chambre, Rose-May raconta ce qui lui était arrivée : elle avait surpris le commissaire dans la chambre d'hôpital de la personne de l'Unesco atteinte du chikungunya. Il était en train d'injecter du cyanure au malheureux. Il l'avait obligée à quitter l'hôpital sous la menace d'une arme, puis il l'avait séquestrée [3] dans la cabane au milieu de la plantation de vanille et l'avait laissée seule avec David Mallet.

2. **Un treuil** : appareil permettant de tirer une charge à l'aide d'un câble.
3. **Séquestrer** : retenir prisonnier.

PROJET INTERNET

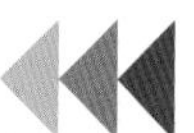

La Réunion au patrimoine mondial de l'Unesco

1 Rendez-vous sur le site de l'Unesco pour en savoir un peu plus sur cet organisme. Répondez aux questions.

1 Qu'est-ce que l'Unesco et que signifie cet acronyme ?

2 Combien de critères de sélection existe-t-il pour admettre un bien sur la liste du patrimoine mondial ?

3 Combien de critères doit satisfaire un bien pour être inscrit ?

4 Quel est le bien de La Réunion inscrit sur la liste du patrimoine mondial de l'Unesco ?

5 Quels sont les critères qui ont justifié son inscription ?

2 Vous souhaitez déposer une demande d'inscription au patrimoine mondial de l'Unesco pour un bien proche de chez vous. Suivez les étapes !

Étape 1. Consultez la liste des biens de votre pays qui sont inscrits au patrimoine mondial, puis choisissez un site culturel et/ou naturel proche de chez vous, qui n'est pas (encore) inscrit sur la liste, et qui présente, selon vous, une valeur universelle exceptionnelle.

Étape 2. Téléchargez le formulaire pour soumettre votre proposition et remplissez la partie informative (nom, État, province, etc.).

Étape 3. Décrivez le bien, puis justifiez sa valeur universelle exceptionnelle.

Étape 4. Soumettez votre proposition à vos camarades qui joueront le rôle du Comité intergouvernemental du patrimoine mondial.

1 Cochez la ou les affirmation(s) correcte(s) pour chaque personnage.

1 Philippe Latour

a ☐ Il a dépassé la quarantaine.

b ☐ Il est tombé amoureux de Rose-May.

c ☐ À la fin de l'histoire, il résout le mystère des lettres anonymes.

d ☐ Il est le grand-père du commissaire Fontaine.

2 Rose-May

a ☐ Elle est la complice de David Mallet.

b ☐ Son métier est de surveiller les volcans à l'Unesco.

c ☐ Elle n'a pas tué Siméon.

d ☐ Elle ne dîne jamais au restaurant.

3 Philippe Fontaine

a ☐ Il aide énormément Philippe dans son enquête.

b ☐ Il est en contact avec un membre de l'Unesco.

c ☐ Il a sauvé Rose-May et Philippe.

d ☐ Il voulait venger ses ancêtres.

4 Marius Tamarin

a ☐ Il travaille sur une plantation de vanille.

b ☐ Il est passionné par la généalogie.

c ☐ Il aide Philippe dans ses recherches.

d ☐ Il est contre les nouvelles technologies.

2 Décrivez en une phrase chacun des personnages de l'histoire.

3 Expliquez à quel moment de l'histoire se rapporte chaque dessin. Replacez-les ensuite dans l'ordre chronologique.

4 Répondez aux questions

1 Où se trouve l'île de La Réunion ?

....

2 De quelles régions sont originaires les habitants de La Réunion ?

....

3 Qui sont les « esclaves de l'île Tromelin » ?

....

4 L'Unesco est-elle une organisation française ?

....

5 Qu'est venu faire Philippe Latour sur l'île de La Réunion ?

....

6 Quel était le projet de David Mallet et François Fontaine ?

....

5 Quel est le rôle des éléments suivants dans l'histoire ?

1 Un arbre généalogique ....
2 Un poêle à bois ....
3 Un restaurant ....
4 La saliette ....
5 Un hélicoptère ....
6 Une retransmission télévisée ....

6 À votre avis, si l'histoire comportait un huitième chapitre, que raconterait-il ?

7 Remplissez la grille de mots croisés à l'aide des définitions.

Horizontalement

1 Un volcan actif y entre de temps en temps.

2 Nous en avons et les arbres aussi.

3 Il transmet le chikungunya.

4 Rosa-May y travaille.

Verticalement

1 Leur vie était réglée par le Code noir.

2 Une histoire policière.

3 Elle s'appelait autrefois l'île Bourbon.

4 Philippe en mène une.

5 On la cultive dans des plantations.

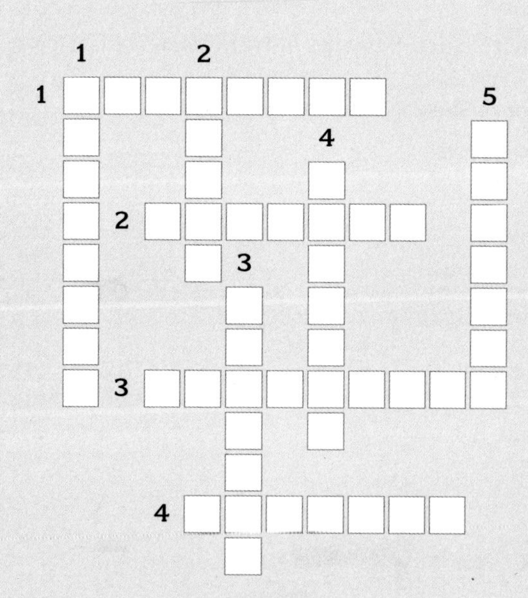